CITTA

TECHO 2022

CITTA

TECHO 2022

To everyone who has purchased the CITTA TECHO 2022 October edition

We are truly grateful to you for choosing CITTA TECHO.
Because of your warm support, we were able to published the CITTA TECHO this year.
We would like to thank all the people who have been looking forward to the CITTA TECHC

I have been a schedule notebook enthusiast since I was a high school student. I wa disappointed when I went to the stationery store every year because I could not find th schedule notebook that I was looking for. I wanted a schedule notebook that I could kee without having to replace it every year.

With a sense of mission that, "If my ideal schedule notebook does not exist in this world, will make it." Thus, I have been making my original schedule notebook since 2013.

This schedule notebook is not only for managing your daily schedule, but it is " reservation table of your future: goal setting planner." This is why I chose the name CITT because Citta means "heart" in Sanskrit and this is a notebook in which you put your hea into it. To begin to use this schedule notebook start by writing what you want to do the mo without any restrictions into the "fulfilment list". Write down all the wishes from your hear what you may be procrastinating on, and what you were giving up in the past. When you finis writing it, take a look back at the list and ask yourself, "Do I really want to do it?" If you answer is "Yes", then put a due date in the notebook and take action. Using a schedul notebook in this way is the biggest charm of CITTA TECHO. The power of writing change your action and your wish/dream will come true.

If this schedule notebook brings smiles to you, I would be extremely happy. May you year be fulfilling.

Representative Director of CITTA INC.,
Chigusa Aoki

【How to use this schedule notebook】

①Year planner section:
All of your large events and goals will go in this section. These are events and goals that requires a considerable amount of planning, time and money. For example, plans to travel abroad, going back to college, house-moving and/or changing careers. Other examples include special events such as, getting married, childbirth and childcare. To decide when to do it is an important factor to help you achieve your big goal. However, do not write a date when you "can" do it, but write a date when you "want" to do it. Keeping this promise is the secret of booking your future successfully (achieve your goal).

②Monthly planner section:
CITTA TECHO has a two-month spread. We made our notebook in this way because not every event fits nicely in a one calendar month page. This makes it easier to keep events that may crossover the following month on one page and also to help prevent events from overlapping.

③The fulfillment list section:
This notebook has a space to write fulfillment list every month and it is the best part of this schedule notebook. To begin, start by writing on the right side of it with an execution date (due date). This page is where you write down what you would "like" to do, but not what you need to do for the month.

Ex.
□Go on a trip to Korea with friends ... 5/4 Write the date on the right side.

Set the deadline for when you would like to go or when to do it. This will help you to boost your commit to your plans and encourage you to take action. Write fulfillment list every month as much as you can to get yourself excited. Listing to your wants and wishes such as, meeting up with an old friend, writing a letter and/or going to your favorite cafe nearby will help you to be more positive and active.

④Weekly planner section:
Mastery in weekly writing is the most important skill. The goal is to live each day to the fullest, which leads you to more productive week, month and inevitably a more fruitful year. Thus, this section gives you an all encompassing view of your week with the days within clearly accessible to write down what you have listed on your fulfillment list. Also include daily to-do activities such as, going to a bank, going to the grocery store or going to a pharmacy. Even if it is a small plan in mind to go shopping on your way back home from work, write it in your diary for that evening.

⑤Taking time to write in CITTA TECHO notebook:
Once a week, spend time writing in your schedule notebook. To help you to make a good habit out of this, make a continuous effort to go once a week to a comfortable place like a cafe or at a park. Have a meeting with yourself for about an hour and write down your schedule for next two weeks in detail. Time will pass in a blink of an eye if you make a schedule while thinking about where to put the fulfillment list. This is the secret to keeping an effective schedule notebook. Please try it.

For more detailed explanation about how to use a schedule notebook in CITTA-style, please refer to the following books.
・" CITTA-style schedule notebook writing technique for booking your future "
(KANKI PUBLISING.INC)
・" CITTA-style schedule notebook time for your brighter life "
(KADOKAWA CORPORATION)

☆: Ichiryu Manbai Bi / On this day, you can get hundreds of times harvest from a grain of seed. It is good day to start something new.
★: Tensha Bi / The best day on the Japanese calendar. The best day to start something new.
※: Fujyojyu Bi (Unfulfilled day) / It is said that even if you start something new on this day, it will be unfulfilled.
☆ mark is intentionally deleted on the day "Ichiryu Manbai Bi" and "Fujyojyu Bi" overlap.

2 0 2 2

1

M	T	W	T	F	S	S
					1	2
3	4	5	6	7	8	9
10	11	12	13	14	15	16
17	18	19	20	21	22	23
24	25	26	27	28	29	30
31						

2

M	T	W	T	F	S	S
	1	2	3	4	5	6
7	8	9	10	11	12	13
14	15	16	17	18	19	20
21	22	23	24	25	26	27
28						

3

M	T	W	T	F	S	S
	1	2	3	4	5	6
7	8	9	10	11	12	13
14	15	16	17	18	19	20
21	22	23	24	25	26	27
28	29	30	31			

4

M	T	W	T	F	S	S
				1	2	3
4	5	6	7	8	9	10
11	12	13	14	15	16	17
18	19	20	21	22	23	24
25	26	27	28	29	30	

5

M	T	W	T	F	S	S
						1
2	3	4	5	6	7	8
9	10	11	12	13	14	15
16	17	18	19	20	21	22
23	24	25	26	27	28	29
30	31					

6

M	T	W	T	F	S	S
		1	2	3	4	5
6	7	8	9	10	11	12
13	14	15	16	17	18	19
20	21	22	23	24	25	26
27	28	29	30			

7

M	T	W	T	F	S	S
				1	2	3
4	5	6	7	8	9	10
11	12	13	14	15	16	17
18	19	20	21	22	23	24
25	26	27	28	29	30	31

8

M	T	W	T	F	S	S
1	2	3	4	5	6	7
8	9	10	11	12	13	14
15	16	17	18	19	20	21
22	23	24	25	26	27	28
29	30	31				

9

M	T	W	T	F	S	S
			1	2	3	4
5	6	7	8	9	10	11
12	13	14	15	16	17	18
19	20	21	22	23	24	25
26	27	28	29	30		

10

M	T	W	T	F	S	S
					1	2
3	4	5	6	7	8	9
10	11	12	13	14	15	16
17	18	19	20	21	22	23
24	25	26	27	28	29	30
31						

11

M	T	W	T	F	S	S
	1	2	3	4	5	6
7	8	9	10	11	12	13
14	15	16	17	18	19	20
21	22	23	24	25	26	27
28	29	30				

12

M	T	W	T	F	S	S
			1	2	3	4
5	6	7	8	9	10	11
12	13	14	15	16	17	18
19	20	21	22	23	24	25
26	27	28	29	30	31	

2 0 2 3

1

M	T	W	T	F	S	S
						1
2	3	4	5	6	7	8
9	10	11	12	13	14	15
16	17	18	19	20	21	22
23	24	25	26	27	28	29
30	31					

2

M	T	W	T	F	S	S
		1	2	3	4	5
6	7	8	9	10	11	12
13	14	15	16	17	18	19
20	21	22	23	24	25	26
27	28					

3

M	T	W	T	F	S	S
		1	2	3	4	5
6	7	8	9	10	11	12
13	14	15	16	17	18	19
20	21	22	23	24	25	26
27	28	29	30	31		

4

M	T	W	T	F	S	S
					1	2
3	4	5	6	7	8	9
10	11	12	13	14	15	16
17	18	19	20	21	22	23
24	25	26	27	28	29	30

5

M	T	W	T	F	S	S
1	2	3	4	5	6	7
8	9	10	11	12	13	14
15	16	17	18	19	20	21
22	23	24	25	26	27	28
29	30	31				

6

M	T	W	T	F	S	S
			1	2	3	4
5	6	7	8	9	10	11
12	13	14	15	16	17	18
19	20	21	22	23	24	25
26	27	28	29	30		

7

M	T	W	T	F	S	S
					1	2
3	4	5	6	7	8	9
10	11	12	13	14	15	16
17	18	19	20	21	22	23
24	25	26	27	28	29	30
31						

8

M	T	W	T	F	S	S
	1	2	3	4	5	6
7	8	9	10	11	12	13
14	15	16	17	18	19	20
21	22	23	24	25	26	27
28	29	30	31			

9

M	T	W	T	F	S	S
				1	2	3
4	5	6	7	8	9	10
11	12	13	14	15	16	17
18	19	20	21	22	23	24
25	26	27	28	29	30	

10

M	T	W	T	F	S	S
						1
2	3	4	5	6	7	8
9	10	11	12	13	14	15
16	17	18	19	20	21	22
23	24	25	26	27	28	29
30	31					

11

M	T	W	T	F	S	S
		1	2	3	4	5
6	7	8	9	10	11	12
13	14	15	16	17	18	19
20	21	22	23	24	25	26
27	28	29	30			

12

M	T	W	T	F	S	S
				1	2	3
4	5	6	7	8	9	10
11	12	13	14	15	16	17
18	19	20	21	22	23	24
25	26	27	28	29	30	31

2 0 2 4

1

M	T	W	T	F	S	S
1	2	3	4	5	6	7
8	9	10	11	12	13	14
15	16	17	18	19	20	21
22	23	24	25	26	27	28
29	30	31				

2

M	T	W	T	F	S	S
			1	2	3	4
5	6	7	8	9	10	11
12	13	14	15	16	17	18
19	20	21	22	23	24	25
26	27	28	29			

3

M	T	W	T	F	S	S
				1	2	3
4	5	6	7	8	9	10
11	12	13	14	15	16	17
18	19	20	21	22	23	24
25	26	27	28	29	30	31

4

M	T	W	T	F	S	S
1	2	3	4	5	6	7
8	9	10	11	12	13	14
15	16	17	18	19	20	21
22	23	24	25	26	27	28
29	30					

5

M	T	W	T	F	S	S
		1	2	3	4	5
6	7	8	9	10	11	12
13	14	15	16	17	18	19
20	21	22	23	24	25	26
27	28	29	30	31		

6

M	T	W	T	F	S	S
					1	2
3	4	5	6	7	8	9
10	11	12	13	14	15	16
17	18	19	20	21	22	23
24	25	26	27	28	29	30

7

M	T	W	T	F	S	S
1	2	3	4	5	6	7
8	9	10	11	12	13	14
15	16	17	18	19	20	21
22	23	24	25	26	27	28
29	30	31				

8

M	T	W	T	F	S	S
			1	2	3	4
5	6	7	8	9	10	11
12	13	14	15	16	17	18
19	20	21	22	23	24	25
26	27	28	29	30	31	

9

M	T	W	T	F	S	S
						1
2	3	4	5	6	7	8
9	10	11	12	13	14	15
16	17	18	19	20	21	22
23	24	25	26	27	28	29
30						

10

M	T	W	T	F	S	S
	1	2	3	4	5	6
7	8	9	10	11	12	13
14	15	16	17	18	19	20
21	22	23	24	25	26	27
28	29	30	31			

11

M	T	W	T	F	S	S
				1	2	3
4	5	6	7	8	9	10
11	12	13	14	15	16	17
18	19	20	21	22	23	24
25	26	27	28	29	30	

12

M	T	W	T	F	S	S
						1
2	3	4	5	6	7	8
9	10	11	12	13	14	15
16	17	18	19	20	21	22
23	24	25	26	27	28	29
30	31					

1 January

MON	TUE	WED	THU	FRI	SAT	SUN
					1	2
3	4	5	6	7	8	9
10	11	12	13	14	15	16
17	18	19	20	21	22	23
24	25	26	27	28	29	30
31						

2 February

MON	TUE	WED	THU	FRI	SAT	SUN
	1	2	3	4	5	6
7	8	9	10	11	12	13
14	15	16	17	18	19	20
21	22	23	24	25	26	27
28						

5 May

MON	TUE	WED	THU	FRI	SAT	SUN
						1
2	3	4	5	6	7	8
9	10	11	12	13	14	15
16	17	18	19	20	21	22
23	24	25	26	27	28	29
30	31					

6 June

MON	TUE	WED	THU	FRI	SAT	SUN
		1	2	3	4	5
6	7	8	9	10	11	12
13	14	15	16	17	18	19
20	21	22	23	24	25	26
27	28	29	30			

9 September

MON	TUE	WED	THU	FRI	SAT	SUN
			1	2	3	4
5	6	7	8	9	10	11
12	13	14	15	16	17	18
19	20	21	22	23	24	25
26	27	28	29	30		

10 October

MON	TUE	WED	THU	FRI	SAT	SUN
					1	2
3	4	5	6	7	8	9
10	11	12	13	14	15	16
17	18	19	20	21	22	23
24	25	26	27	28	29	30
31						

3 March

MON	TUE	WED	THU	FRI	SAT	SUN
	1	2	3	4	5	6
7	8	9	10	11	12	13
14	15	16	17	18	19	20
21	22	23	24	25	26	27
28	29	30	31			

4 April

MON	TUE	WED	THU	FRI	SAT	SUN
				1	2	3
4	5	6	7	8	9	10
11	12	13	14	15	16	17
18	19	20	21	22	23	24
25	26	27	28	29	30	

7 July

MON	TUE	WED	THU	FRI	SAT	SUN
				1	2	3
4	5	6	7	8	9	10
11	12	13	14	15	16	17
18	19	20	21	22	23	24
25	26	27	28	29	30	31

8 August

MON	TUE	WED	THU	FRI	SAT	SUN
1	2	3	4	5	6	7
8	9	10	11	12	13	14
15	16	17	18	19	20	21
22	23	24	25	26	27	28
29	30	31				

11 November

MON	TUE	WED	THU	FRI	SAT	SUN
	1	2	3	4	5	6
7	8	9	10	11	12	13
14	15	16	17	18	19	20
21	22	23	24	25	26	27
28	29	30				

12 December

MON	TUE	WED	THU	FRI	SAT	SUN
			1	2	3	4
5	6	7	8	9	10	11
12	13	14	15	16	17	18
19	20	21	22	23	24	25
26	27	28	29	30	31	

1 January

MON	TUE	WED	THU	FRI	SAT	SUN
						1
2	3	4	5	6	7	8
9	10	11	12	13	14	15
16	17	18	19	20	21	22
23	24	25	26	27	28	29
30	31					

2 February

MON	TUE	WED	THU	FRI	SAT	SUN
		1	2	3	4	5
6	7	8	9	10	11	12
13	14	15	16	17	18	19
20	21	22	23	24	25	26
27	28					

5 May

MON	TUE	WED	THU	FRI	SAT	SUN
1	2	3	4	5	6	7
8	9	10	11	12	13	14
15	16	17	18	19	20	21
22	23	24	25	26	27	28
29	30	31				

6 June

MON	TUE	WED	THU	FRI	SAT	SUN
			1	2	3	4
5	6	7	8	9	10	11
12	13	14	15	16	17	18
19	20	21	22	23	24	25
26	27	28	29	30		

9 September

MON	TUE	WED	THU	FRI	SAT	SUN
				1	2	3
4	5	6	7	8	9	10
11	12	13	14	15	16	17
18	19	20	21	22	23	24
25	26	27	28	29	30	

10 October

MON	TUE	WED	THU	FRI	SAT	SUN
						1
2	3	4	5	6	7	8
9	10	11	12	13	14	15
16	17	18	19	20	21	22
23	24	25	26	27	28	29
30	31					

3 March

MON	TUE	WED	THU	FRI	SAT	SUN
		1	2	3	4	5
6	7	8	9	10	11	12
13	14	15	16	17	18	19
20	21	22	23	24	25	26
27	28	29	30	31		

4 April

MON	TUE	WED	THU	FRI	SAT	SUN
					1	2
3	4	5	6	7	8	9
10	11	12	13	14	15	16
17	18	19	20	21	22	23
24	25	26	27	28	29	30

7 July

MON	TUE	WED	THU	FRI	SAT	SUN
					1	2
3	4	5	6	7	8	9
10	11	12	13	14	15	16
17	18	19	20	21	22	23
24	25	26	27	28	29	30
31						

8 August

MON	TUE	WED	THU	FRI	SAT	SUN
	1	2	3	4	5	6
7	8	9	10	11	12	13
14	15	16	17	18	19	20
21	22	23	24	25	26	27
28	29	30	31			

11 November

MON	TUE	WED	THU	FRI	SAT	SUN
		1	2	3	4	5
6	7	8	9	10	11	12
13	14	15	16	17	18	19
20	21	22	23	24	25	26
27	28	29	30			

12 December

MON	TUE	WED	THU	FRI	SAT	SUN
				1	2	3
4	5	6	7	8	9	10
11	12	13	14	15	16	17
18	19	20	21	22	23	24
25	26	27	28	29	30	31

1 January

MON	TUE	WED	THU	FRI	SAT	SUN
1	2	3	4	5	6	7
8	9	10	11	12	13	14
15	16	17	18	19	20	21
22	23	24	25	26	27	28
29	30	31				

2 February

MON	TUE	WED	THU	FRI	SAT	SUN
			1	2	3	4
5	6	7	8	9	10	11
12	13	14	15	16	17	18
19	20	21	22	23	24	25
26	27	28	29			

5 May

MON	TUE	WED	THU	FRI	SAT	SUN
		1	2	3	4	5
6	7	8	9	10	11	12
13	14	15	16	17	18	19
20	21	22	23	24	25	26
27	28	29	30	31		

6 June

MON	TUE	WED	THU	FRI	SAT	SUN
					1	2
3	4	5	6	7	8	9
10	11	12	13	14	15	16
17	18	19	20	21	22	23
24	25	26	27	28	29	30

9 September

MON	TUE	WED	THU	FRI	SAT	SUN
						1
2	3	4	5	6	7	8
9	10	11	12	13	14	15
16	17	18	19	20	21	22
23	24	25	26	27	28	29
30						

10 October

MON	TUE	WED	THU	FRI	SAT	SUN
	1	2	3	4	5	6
7	8	9	10	11	12	13
14	15	16	17	18	19	20
21	22	23	24	25	26	27
28	29	30	31			

3 March

MON	TUE	WED	THU	FRI	SAT	SUN
				1	2	3
4	5	6	7	8	9	10
11	12	13	14	15	16	17
18	19	20	21	22	23	24
25	26	27	28	29	30	31

4 April

MON	TUE	WED	THU	FRI	SAT	SUN
1	2	3	4	5	6	7
8	9	10	11	12	13	14
15	16	17	18	19	20	21
22	23	24	25	26	27	28
29	30					

7 July

MON	TUE	WED	THU	FRI	SAT	SUN
1	2	3	4	5	6	7
8	9	10	11	12	13	14
15	16	17	18	19	20	21
22	23	24	25	26	27	28
29	30	31				

8 August

MON	TUE	WED	THU	FRI	SAT	SUN
			1	2	3	4
5	6	7	8	9	10	11
12	13	14	15	16	17	18
19	20	21	22	23	24	25
26	27	28	29	30	31	

11 November

MON	TUE	WED	THU	FRI	SAT	SUN
				1	2	3
4	5	6	7	8	9	10
11	12	13	14	15	16	17
18	19	20	21	22	23	24
25	26	27	28	29	30	

12 December

MON	TUE	WED	THU	FRI	SAT	SUN
						1
2	3	4	5	6	7	8
9	10	11	12	13	14	15
16	17	18	19	20	21	22
23	24	25	26	27	28	29
30	31					

10 October 2021	1 FRI	2 SAT	3 SUN	4 MON	5 TUE	6 WED	7 THU	8 FRI	9 SAT	10 SUN	11 MON	12 TUE	13 WED

11 November 2021	1 MON	2 TUE	3 WED	4 THU	5 FRI	6 SAT	7 SUN	8 MON	9 TUE	10 WED	11 THU	12 FRI	13 SAT

14 THU	15 FRI	16 SAT	17 SUN	18 MON	19 TUE	20 WED	21 THU	22 FRI	23 SAT	24 SUN	25 MON	26 TUE	27 WED	28 THU	29 FRI	30 SAT	31 SUN

14 SUN	15 MON	16 TUE	17 WED	18 THU	19 FRI	20 SAT	21 SUN	22 MON	23 TUE	24 WED	25 THU	26 FRI	27 SAT	28 SUN	29 MON	30 TUE	

12 December 2021	1 WED	2 THU	3 FRI	4 SAT	5 SUN	6 MON	7 TUE	8 WED	9 THU	10 FRI	11 SAT	12 SUN	13 MON

1 January 2022	1 SAT	2 SUN	3 MON	4 TUE	5 WED	6 THU	7 FRI	8 SAT	9 SUN	10 MON	11 TUE	12 WED	13 THU

14 TUE	15 WED	16 THU	17 FRI	18 SAT	19 SUN	20 MON	21 TUE	22 WED	23 THU	24 FRI	25 SAT	26 SUN	27 MON	28 TUE	29 WED	30 THU	31 FRI

14 FRI	15 SAT	16 SUN	17 MON	18 TUE	19 WED	20 THU	21 FRI	22 SAT	23 SUN	24 MON	25 TUE	26 WED	27 THU	28 FRI	29 SAT	30 SUN	31 MON

2 February 2022	1 TUE	2 WED	3 THU	4 FRI	5 SAT	6 SUN	7 MON	8 TUE	9 WED	10 THU	11 FRI	12 SAT	13 SUN

3 March 2022	1 TUE	2 WED	3 THU	4 FRI	5 SAT	6 SUN	7 MON	8 TUE	9 WED	10 THU	11 FRI	12 SAT	13 SUN

14 MON	15 TUE	16 WED	17 THU	18 FRI	19 SAT	20 SUN	21 MON	22 TUE	23 WED	24 THU	25 FRI	26 SAT	27 SUN	28 MON			

14 MON	15 TUE	16 WED	17 THU	18 FRI	19 SAT	20 SUN	21 MON	22 TUE	23 WED	24 THU	25 FRI	26 SAT	27 SUN	28 MON	29 TUE	30 WED	31 THU

4 April 2022	1 FRI	2 SAT	3 SUN	4 MON	5 TUE	6 WED	7 THU	8 FRI	9 SAT	10 SUN	11 MON	12 TUE	13 WED

5 May 2022	1 SUN	2 MON	3 TUE	4 WED	5 THU	6 FRI	7 SAT	8 SUN	9 MON	10 TUE	11 WED	12 THU	13 FRI

14 THU	15 FRI	16 SAT	17 SUN	18 MON	19 TUE	20 WED	21 THU	22 FRI	23 SAT	24 SUN	25 MON	26 TUE	27 WED	28 THU	29 FRI	30 SAT	

14 SAT	15 SUN	16 MON	17 TUE	18 WED	19 THU	20 FRI	21 SAT	22 SUN	23 MON	24 TUE	25 WED	26 THU	27 FRI	28 SAT	29 SUN	30 MON	31 TUE

6 June 2022	1 WED	2 THU	3 FRI	4 SAT	5 SUN	6 MON	7 TUE	8 WED	9 THU	10 FRI	11 SAT	12 SUN	13 MON

7 July 2022	1 FRI	2 SAT	3 SUN	4 MON	5 TUE	6 WED	7 THU	8 FRI	9 SAT	10 SUN	11 MON	12 TUE	13 WED

14	15	16	17	18	19	20	21	22	23	24	25	26	27	28	29	30	
TUE	WED	THU	FRI	SAT	SUN	MON	TUE	WED	THU	FRI	SAT	SUN	MON	TUE	WED	THU	

14	15	16	17	18	19	20	21	22	23	24	25	26	27	28	29	30	31
THU	FRI	SAT	SUN	MON	TUE	WED	THU	FRI	SAT	SUN	MON	TUE	WED	THU	FRI	SAT	SUN

8 August 2022	1 MON	2 TUE	3 WED	4 THU	5 FRI	6 SAT	7 SUN	8 MON	9 TUE	10 WED	11 THU	12 FRI	13 SAT

9 September 2022	1 THU	2 FRI	3 SAT	4 SUN	5 MON	6 TUE	7 WED	8 THU	9 FRI	10 SAT	11 SUN	12 MON	13 TUE

14 SUN	15 MON	16 TUE	17 WED	18 THU	19 FRI	20 SAT	21 SUN	22 MON	23 TUE	24 WED	25 THU	26 FRI	27 SAT	28 SUN	29 MON	30 TUE	31 WED

14 WED	15 THU	16 FRI	17 SAT	18 SUN	19 MON	20 TUE	21 WED	22 THU	23 FRI	24 SAT	25 SUN	26 MON	27 TUE	28 WED	29 THU	30 FRI	

10 October 2022	1 SAT	2 SUN	3 MON	4 TUE	5 WED	6 THU	7 FRI	8 SAT	9 SUN	10 MON	11 TUE	12 WED	13 THU

11 November 2022	1 TUE	2 WED	3 THU	4 FRI	5 SAT	6 SUN	7 MON	8 TUE	9 WED	10 THU	11 FRI	12 SAT	13 SUN

14 FRI	15 SAT	16 SUN	17 MON	18 TUE	19 WED	20 THU	21 FRI	22 SAT	23 SUN	24 MON	25 TUE	26 WED	27 THU	28 FRI	29 SAT	30 SUN	31 MON

14 MON	15 TUE	16 WED	17 THU	18 FRI	19 SAT	20 SUN	21 MON	22 TUE	23 WED	24 THU	25 FRI	26 SAT	27 SUN	28 MON	29 TUE	30 WED	

12 December 2022	1 THU	2 FRI	3 SAT	4 SUN	5 MON	6 TUE	7 WED	8 THU	9 FRI	10 SAT	11 SUN	12 MON	13 TUE

1 January 2023	1 SUN	2 MON	3 TUE	4 WED	5 THU	6 FRI	7 SAT	8 SUN	9 MON	10 TUE	11 WED	12 THU	13 FRI

14 WED	15 THU	16 FRI	17 SAT	18 SUN	19 MON	20 TUE	21 WED	22 THU	23 FRI	24 SAT	25 SUN	26 MON	27 TUE	28 WED	29 THU	30 FRI	31 SAT

14 SAT	15 SUN	16 MON	17 TUE	18 WED	19 THU	20 FRI	21 SAT	22 SUN	23 MON	24 TUE	25 WED	26 THU	27 FRI	28 SAT	29 SUN	30 MON	31 TUE

2 February 2023	1 WED	2 THU	3 FRI	4 SAT	5 SUN	6 MON	7 TUE	8 WED	9 THU	10 FRI	11 SAT	12 SUN	13 MON

3 March 2023	1 WED	2 THU	3 FRI	4 SAT	5 SUN	6 MON	7 TUE	8 WED	9 THU	10 FRI	11 SAT	12 SUN	13 MON

14 TUE	15 WED	16 THU	17 FRI	18 SAT	19 SUN	20 MON	21 TUE	22 WED	23 THU	24 FRI	25 SAT	26 SUN	27 MON	28 TUE			

14 TUE	15 WED	16 THU	17 FRI	18 SAT	19 SUN	20 MON	21 TUE	22 WED	23 THU	24 FRI	25 SAT	26 SUN	27 MON	28 TUE	29 WED	30 THU	31 FRI

10 2021 October

MON	TUE	WED	THU	FRI	SAT	SUN
27	28	29	30	1	2	3 ☆
4	5	6	7	8	9	10
11	12	13 ☆	14	15	16 ☆	17
18	19	20	21	22	23	24
25 ☆	26	27 ★	28 ☆	29	30	31
1	2	3	4	5	6	7

11 2021 November

MON	TUE	WED	THU	FRI	SAT	SUN
1	2	3	4	5	6 ☆	7
8	9 ☆	10 ☆	11	12 ★	13	14
15	16	17	18	19	20	21 ☆
22 ☆	23	24	25	26	27	28
29	30	1	2	3	4	5
6	7	8	9	10	11	12

12 2021 December

MON	TUE	WED	THU	FRI	SAT	SUN
29	30	1	2	3 ☆	4 ☆	5
6	7	8	9	10	11	12
13	14	15	16	17 ☆	18 ☆	19
20	21	22	23	24	25	26
27	28	29 ☆	30 ☆	31	1	2
3	4	5	6	7	8	9

1 2022 January

MON	TUE	WED	THU	FRI	SAT	SUN
27	28	29	30	31	1	2
3	4	5	6	7	8	9
10	11 ☆★	12	13	14 ☆	15	16
17	18	19	20	21	22	23 ☆
24	25	26 ☆	27	28	29	30
31	1	2	3	4	5	6

2 2022 February

MON	TUE	WED	THU	FRI	SAT	SUN
31	1	2	3	4	5 ☆	6
7	8	9	10 ☆	11	12	13
14	15	16	17 ☆	18	19	20
21	22 ☆	23	24	25	26	27
28	1	2	3	4	5	6
7	8	9	10	11	12	13

3 2022 March

MON	TUE	WED	THU	FRI	SAT	SUN
28	1 ☆	2	3	4	5	6
7	8	9 ☆	10	11	12	13
14 ☆	15	16	17	18	19	20
21 ☆	22	23	24	25	26 ☆★	27
28	29	30	31	1	2	3
4	5	6	7	8	9	10

4 2022 April

MON	TUE	WED	THU	FRI	SAT	SUN
28	29	30	31	1	2 ☆	3
4	5 ☆	6	7	8 ☆	9	10
11	12	13	14	15	16	17
18	19	20 ☆	21	22	23	24
25	26	27	28	29 ☆	30	1
2	3	4	5	6	7	8

5 2022 May

MON	TUE	WED	THU	FRI	SAT	SUN
25	26	27	28	29	30	1
2 ☆	3	4	5	6	7	8
9	10	11	12	13	14 ☆	15 ☆
16	17	18	19	20	21	22
23	24	25	26 ☆	27 ☆	28	29
30	31	1	2	3	4	5

6 2022 June

MON	TUE	WED	THU	FRI	SAT	SUN
30	31	1	2	3	4	5
6	7	8	9 ☆	10 ☆★	11	12
13	14	15	16	17	18	19
20	21 ☆	22 ☆	23	24	25	26
27	28	29	30	1	2	3
4	5	6	7	8	9	10

7 2022 July

MON	TUE	WED	THU	FRI	SAT	SUN
27	28	29	30	1	2	3 ☆
4	5	6	7 ☆	8	9	10
11	12	13	14	15	16 ☆	17
18	19 ☆	20	21	22	23	24
25	26	27	28	29	30	31
1	2	3	4	5	6	7

8 2022 August

MON	TUE	WED	THU	FRI	SAT	SUN
1	2	3	4	5	6	7
8	9	10 ☆	11	12	13	14
15 ☆	16	17	18	19	20	21
22 ☆	23 ★	24	25	26	27 ☆	28
29	30	31	1	2	3	4
5	6	7	8	9	10	11

9 2022 September

MON	TUE	WED	THU	FRI	SAT	SUN
29	30	31	1	2	3 ☆	4
5	6	7	8	9	10	11 ☆
12	13	14	15	16 ☆	17	18
19	20	21	22	23 ☆	24	25
26	27	28 ☆	29	30	1	2
3	4	5	6	7	8	9

10 2022 October

MON	TUE	WED	THU	FRI	SAT	SUN
26	27	28	29	30	1	2
3	4	5 ☆	6	7	8 ☆	9
10	11 ☆	12	13	14	15	16
17	18	19	20	21	22 ★	23 ☆
24	25	26	27	28	29	30
31	1	2	3	4	5	6

11 2022 November

MON	TUE	WED	THU	FRI	SAT	SUN
31	1 ☆	2	3	4 ☆	5	6
7 ★	8	9	10	11	12	13
14	15	16 ☆	17 ☆	18	19	20
21	22	23	24	25	26	27
28	29 ☆	30	1	2	3	4
5	6	7	8	9	10	11

12 2022 December

MON	TUE	WED	THU	FRI	SAT	SUN
28	29	30	1	2	3	4
5	6	7	8	9	10	11
12 ☆	13 ☆	14	15	16	17	18
19	20	21	22	23	24 ☆	25 ☆
26	27	28	29	30	31	1
2	3	4	5	6	7	8

1 2023 January

MON	TUE	WED	THU	FRI	SAT	SUN
26	27	28	29	30	31	1
2	3	4	5	6 ☆★	7	8
9 ☆	10	11	12	13	14	15
16	17	18 ☆	19	20	21	22
23	24	25	26	27	28	29
30 ☆	31	1	2	3	4	5

2 2023 February

MON	TUE	WED	THU	FRI	SAT	SUN
30	31	1	2 ☆	3	4	5 ☆
6	7	8	9	10	11	12 ☆
13	14	15	16	17	18	19
20	21	22	23	24 ☆	25	26
27	28	1	2	3	4	5
6	7	8	9	10	11	12

3 2023 March

MON	TUE	WED	THU	FRI	SAT	SUN
27	28	1	2	3	4	5
6	7	8	9	10	11	12
13	14	15	16 ☆	17	18	19
20	21 ☆★	22	23	24	25	26
27	28 ☆	29	30	31	1	2
3	4	5	6	7	8	9

9/10 September 2021

27 (MON)	28 (TUE) ☆	29 (WED)	30 (THU)	1 (FRI)
4	4	4	4	4
5	5	5	5	5
6	6	6	6	6
7	7	7	7	7
8	8	8	8	8
9	9	9	9	9
10	10	10	10	10
11	11	11	11	11
12	12	12	12	12
1	1	1	1	1
2	2	2	2	2
3	3	3	3	3
4	4	4	4	4
5	5	5	5	5
6	6	6	6	6
7	7	7	7	7
8	8	8	8	8
9	9	9	9	9
10	10	10	10	10
11	11	11	11	11
12	12	12	12	12
1	1	1	1	1
2	2	2	2	2
3	3	3	3	3
4	4	4	4	4

9						
M	T	W	T	F	S	S
		1	2	3	4	5
6	7	8	9	10	11	12
13	14	15	16	17	18	19
20	21	22	23	24	25	26
27	28	29	30			

10						
M	T	W	T	F	S	S
				1	2	3
4	5	6	7	8	9	10
11	12	13	14	15	16	17
18	19	20	21	22	23	24
25	26	27	28	29	30	31

2(SAT)	3(SUN)☆
4	4
5	5
6	6
7	7
8	8
9	9
10	10
11	11
12	12
1	1
2	2
3	3
4	4
5	5
6	6
7	7
8	8
9	9
10	10
11	11
12	12
1	1
2	2
3	3
4	4

10 October 2021 **fulfillment list** when?

		when?
☐		/
☐		/
☐		/
☐		/
☐		/
☐		/
☐		/
☐		/
☐		/
☐		/
☐		/
☐		/
☐		/
☐		/
☐		/
☐		/
☐		/
☐		/
☐		/
☐		/
☐		/
☐		/
☐		/
☐		/
☐		/
☐		/
☐		/

fulfillment list　　when?

10 October 2021

4 (MON)	5 (TUE)	6 (WED)	7 (THU)	8 (FRI)
4	4	4	4	4
5	5	5	5	5
6	6	6	6	6
7	7	7	7	7
8	8	8	8	8
9	9	9	9	9
10	10	10	10	10
11	11	11	11	11
12	12	12	12	12
1	1	1	1	1
2	2	2	2	2
3	3	3	3	3
4	4	4	4	4
5	5	5	5	5
6	6	6	6	6
7	7	7	7	7
8	8	8	8	8
9	9	9	9	9
10	10	10	10	10
11	11	11	11	11
12	12	12	12	12
1	1	1	1	1
2	2	2	2	2
3	3	3	3	3
4	4	4	4	4

9(SAT)	10(SUN)

4
5
6
7
8
9
10
11
12
1
2
3
4
5
6
7
8
9
10
11
12
1
2
3
4

10

M	T	W	T	F	S	S
				1	2	3
4	5	6	7	8	9	10
11	12	13	14	15	16	17
18	19	20	21	22	23	24
25	26	27	28	29	30	31

11

M	T	W	T	F	S	S
1	2	3	4	5	6	7
8	9	10	11	12	13	14
15	16	17	18	19	20	21
22	23	24	25	26	27	28
29	30					

10 October 2021

11 (MON)	12 (TUE)	13 (WED) ☆	14 (THU)	15 (FRI)
4	4	4	4	4
5	5	5	5	5
6	6	6	6	6
7	7	7	7	7
8	8	8	8	8
9	9	9	9	9
10	10	10	10	10
11	11	11	11	11
12	12	12	12	12
1	1	1	1	1
2	2	2	2	2
3	3	3	3	3
4	4	4	4	4
5	5	5	5	5
6	6	6	6	6
7	7	7	7	7
8	8	8	8	8
9	9	9	9	9
10	10	10	10	10
11	11	11	11	11
12	12	12	12	12
1	1	1	1	1
2	2	2	2	2
3	3	3	3	3
4	4	4	4	4

10						
M	T	W	T	F	S	S
				1	2	3
4	5	6	7	8	9	10
11	12	13	14	15	16	17
18	19	20	21	22	23	24
25	26	27	28	29	30	31

11						
M	T	W	T	F	S	S
1	2	3	4	5	6	7
8	9	10	11	12	13	14
15	16	17	18	19	20	21
22	23	24	25	26	27	28
29	30					

16(SAT)☆	17(SUN)
4	4
5	5
6	6
7	7
8	8
9	9
10	10
11	11
12	12
1	1
2	2
3	3
4	4
5	5
6	6
7	7
8	8
9	9
10	10
11	11
12	12
1	1
2	2
3	3
4	4

10 October 2021

18(MON)	19(TUE)	20(WED)	21(THU)	22(FRI)
4	4	4	4	4
5	5	5	5	5
6	6	6	6	6
7	7	7	7	7
8	8	8	8	8
9	9	9	9	9
10	10	10	10	10
11	11	11	11	11
12	12	12	12	12
1	1	1	1	1
2	2	2	2	2
3	3	3	3	3
4	4	4	4	4
5	5	5	5	5
6	6	6	6	6
7	7	7	7	7
8	8	8	8	8
9	9	9	9	9
10	10	10	10	10
11	11	11	11	11
12	12	12	12	12
1	1	1	1	1
2	2	2	2	2
3	3	3	3	3
4	4	4	4	4

10						
M	T	W	T	F	S	S
				1	2	3
4	5	6	7	8	9	10
11	12	13	14	15	16	17
18	19	20	21	22	23	24
25	26	27	28	29	30	31

11						
M	T	W	T	F	S	S
1	2	3	4	5	6	7
8	9	10	11	12	13	14
15	16	17	18	19	20	21
22	23	24	25	26	27	28
29	30					

23(SAT)	24(SUN)
4	4
5	5
6	6
7	7
8	8
9	9
0	10
1	11
2	12
1	1
2	2
3	3
4	4
5	5
6	6
7	7
8	8
9	9
0	10
1	11
2	12
1	1
2	2
3	3
4	4

10 October 2021

25(MON)☆	26(TUE)	27(WED)★	28(THU)☆	29(FRI)
4	4	4	4	4
5	5	5	5	5
6	6	6	6	6
7	7	7	7	7
8	8	8	8	8
9	9	9	9	9
10	10	10	10	10
11	11	11	11	11
12	12	12	12	12
1	1	1	1	1
2	2	2	2	2
3	3	3	3	3
4	4	4	4	4
5	5	5	5	5
6	6	6	6	6
7	7	7	7	7
8	8	8	8	8
9	9	9	9	9
10	10	10	10	10
11	11	11	11	11
12	12	12	12	12
1	1	1	1	1
2	2	2	2	2
3	3	3	3	3
4	4	4	4	4

10						
M	T	W	T	F	S	S
				1	2	3
4	5	6	7	8	9	10
11	12	13	14	15	16	17
18	19	20	21	22	23	24
25	26	27	28	29	30	31

11						
M	T	W	T	F	S	S
1	2	3	4	5	6	7
8	9	10	11	12	13	14
15	16	17	18	19	20	21
22	23	24	25	26	27	28
29	30					

30 (SAT)	31 (SUN)
4	4
5	5
6	6
7	7
8	8
9	9
0	10
1	11
2	12
1	1
2	2
3	3
4	4
5	5
6	6
7	7
8	8
9	9
0	10
1	11
2	12
1	1
2	2
3	3
4	4

11 November 2021 **fulfillment list** when?

☐	/
☐	/
☐	/
☐	/
☐	/
☐	/
☐	/
☐	/
☐	/
☐	/
☐	/
☐	/
☐	/
☐	/
☐	/
☐	/
☐	/
☐	/
☐	/
☐	/
☐	/
☐	/
☐	/
☐	/
☐	/
☐	/

fulfillment list	when?
☐	/
☐	/
☐	/
☐	/
☐	/
☐	/
☐	/
☐	/
☐	/
☐	/
☐	/
☐	/
☐	/
☐	/
☐	/
☐	/
☐	/
☐	/
☐	/
☐	/
☐	/
☐	/
☐	/
☐	/
☐	/
☐	/
☐	/

11 November 2021

1 (MON)	2 (TUE)	3 (WED)	4 (THU)	5 (FRI)
4	4	4	4	4
5	5	5	5	5
6	6	6	6	6
7	7	7	7	7
8	8	8	8	8
9	9	9	9	9
10	10	10	10	10
11	11	11	11	11
12	12	12	12	12
1	1	1	1	1
2	2	2	2	2
3	3	3	3	3
4	4	4	4	4
5	5	5	5	5
6	6	6	6	6
7	7	7	7	7
8	8	8	8	8
9	9	9	9	9
10	10	10	10	10
11	11	11	11	11
12	12	12	12	12
1	1	1	1	1
2	2	2	2	2
3	3	3	3	3
4	4	4	4	4

6(SAT)☆	7(SUN)

4
5
6
7
8
9
10
11
12
1
2
3
4
5
6
7
8
9
10
11
12
1
2
3
4

11

M	T	W	T	F	S	S
1	2	3	4	5	6	7
8	9	10	11	12	13	14
15	16	17	18	19	20	21
22	23	24	25	26	27	28
29	30					

12

M	T	W	T	F	S	S
		1	2	3	4	5
6	7	8	9	10	11	12
13	14	15	16	17	18	19
20	21	22	23	24	25	26
27	28	29	30	31		

11 November 2021

8(MON)	9(TUE)☆	10(WED)☆	11(THU)	12(FRI)★
4	4	4	4	4
5	5	5	5	5
6	6	6	6	6
7	7	7	7	7
8	8	8	8	8
9	9	9	9	9
10	10	10	10	10
11	11	11	11	11
12	12	12	12	12
1	1	1	1	1
2	2	2	2	2
3	3	3	3	3
4	4	4	4	4
5	5	5	5	5
6	6	6	6	6
7	7	7	7	7
8	8	8	8	8
9	9	9	9	9
10	10	10	10	10
11	11	11	11	11
12	12	12	12	12
1	1	1	1	1
2	2	2	2	2
3	3	3	3	3
4	4	4	4	4

13(SAT)	14(SUN)

4
5
6
7
8
9
10
11
12
1
2
3
4
5
6
7
8
9
10
11
12
1
2
3
4

11

M	T	W	T	F	S	S
1	2	3	4	5	6	7
8	9	10	11	12	13	14
15	16	17	18	19	20	21
22	23	24	25	26	27	28
29	30					

12

M	T	W	T	F	S	S
		1	2	3	4	5
6	7	8	9	10	11	12
13	14	15	16	17	18	19
20	21	22	23	24	25	26
27	28	29	30	31		

11 November 2021

15(MON)	16(TUE)	17(WED)	18(THU)	19(FRI)
4	4	4	4	4
5	5	5	5	5
6	6	6	6	6
7	7	7	7	7
8	8	8	8	8
9	9	9	9	9
10	10	10	10	10
11	11	11	11	11
12	12	12	12	12
1	1	1	1	1
2	2	2	2	2
3	3	3	3	3
4	4	4	4	4
5	5	5	5	5
6	6	6	6	6
7	7	7	7	7
8	8	8	8	8
9	9	9	9	9
10	10	10	10	10
11	11	11	11	11
12	12	12	12	12
1	1	1	1	1
2	2	2	2	2
3	3	3	3	3
4	4	4	4	4

20 (SAT)	21 (SUN) ☆

4
5
6
7
8
9
10
11
12
1
2
3
4
5
6
7
8
9
10
11
12
1
2
3
4

11						
M	T	W	T	F	S	S
1	2	3	4	5	6	7
8	9	10	11	12	13	14
15	16	17	18	19	20	21
22	23	24	25	26	27	28
29	30					

12						
M	T	W	T	F	S	S
		1	2	3	4	5
6	7	8	9	10	11	12
13	14	15	16	17	18	19
20	21	22	23	24	25	26
27	28	29	30	31		

11 November 2021

22(MON)☆	23(TUE)	24(WED)	25(THU)	26(FRI)
4	4	4	4	4
5	5	5	5	5
6	6	6	6	6
7	7	7	7	7
8	8	8	8	8
9	9	9	9	9
10	10	10	10	10
11	11	11	11	11
12	12	12	12	12
1	1	1	1	1
2	2	2	2	2
3	3	3	3	3
4	4	4	4	4
5	5	5	5	5
6	6	6	6	6
7	7	7	7	7
8	8	8	8	8
9	9	9	9	9
10	10	10	10	10
11	11	11	11	11
12	12	12	12	12
1	1	1	1	1
2	2	2	2	2
3	3	3	3	3
4	4	4	4	4

27(SAT)	28(SUN)
4	4
5	5
6	6
7	7
8	8
9	9
10	10
11	11
12	12
1	1
2	2
3	3
4	4
5	5
6	6
7	7
8	8
9	9
10	10
11	11
12	12
1	1
2	2
3	3
4	4

11

M	T	W	T	F	S	S
1	2	3	4	5	6	7
8	9	10	11	12	13	14
15	16	17	18	19	20	21
22	23	24	25	26	27	28
29	30					

12

M	T	W	T	F	S	S
		1	2	3	4	5
6	7	8	9	10	11	12
13	14	15	16	17	18	19
20	21	22	23	24	25	26
27	28	29	30	31		

11/12 November 2021

29(MON)	30(TUE)	1(WED)	2(THU)	3(FRI)☆
4	4	4	4	4
5	5	5	5	5
6	6	6	6	6
7	7	7	7	7
8	8	8	8	8
9	9	9	9	9
10	10	10	10	10
11	11	11	11	11
12	12	12	12	12
1	1	1	1	1
2	2	2	2	2
3	3	3	3	3
4	4	4	4	4
5	5	5	5	5
6	6	6	6	6
7	7	7	7	7
8	8	8	8	8
9	9	9	9	9
10	10	10	10	10
11	11	11	11	11
12	12	12	12	12
1	1	1	1	1
2	2	2	2	2
3	3	3	3	3
4	4	4	4	4

11						
M	T	W	T	F	S	S
1	2	3	4	5	6	7
8	9	10	11	12	13	14
15	16	17	18	19	20	21
22	23	24	25	26	27	28
29	30					

12						
M	T	W	T	F	S	S
		1	2	3	4	5
6	7	8	9	10	11	12
13	14	15	16	17	18	19
20	21	22	23	24	25	26
27	28	29	30	31		

4(SAT)☆	5(SUN)
4	4
5	5
6	6
7	7
8	8
9	9
10	10
11	11
12	12
1	1
2	2
3	3
4	4
5	5
6	6
7	7
8	8
9	9
10	10
11	11
12	12
1	1
2	2
3	3
4	4

12 December 2021 **fulfillment list** when?

☐	/
☐	/
☐	/
☐	/
☐	/
☐	/
☐	/
☐	/
☐	/
☐	/
☐	/
☐	/
☐	/
☐	/
☐	/
☐	/
☐	/
☐	/
☐	/
☐	/
☐	/
☐	/
☐	/
☐	/
☐	/
☐	/
☐	/

fulfillment list

when?

☐	/
☐	/
☐	/
☐	/
☐	/
☐	/
☐	/
☐	/
☐	/
☐	/
☐	/
☐	/
☐	/
☐	/
☐	/
☐	/
☐	/
☐	/
☐	/
☐	/
☐	/
☐	/
☐	/
☐	/
☐	/
☐	/
☐	/

12 December 2021

6(MON)	7(TUE)	8(WED)	9(THU)	10(FRI)
4	4	4	4	4
5	5	5	5	5
6	6	6	6	6
7	7	7	7	7
8	8	8	8	8
9	9	9	9	9
10	10	10	10	10
11	11	11	11	11
12	12	12	12	12
1	1	1	1	1
2	2	2	2	2
3	3	3	3	3
4	4	4	4	4
5	5	5	5	5
6	6	6	6	6
7	7	7	7	7
8	8	8	8	8
9	9	9	9	9
10	10	10	10	10
11	11	11	11	11
12	12	12	12	12
1	1	1	1	1
2	2	2	2	2
3	3	3	3	3
4	4	4	4	4

11 (SAT)	12 (SUN)
4	4
5	5
6	6
7	7
8	8
9	9
0	10
1	11
2	12
1	1
2	2
3	3
4	4
5	5
6	6
7	7
8	8
9	9
0	10
1	11
2	12
1	1
2	2
3	3
4	4

12

M	T	W	T	F	S	S
		1	2	3	4	5
6	7	8	9	10	11	12
13	14	15	16	17	18	19
20	21	22	23	24	25	26
27	28	29	30	31		

1

M	T	W	T	F	S	S
					1	2
3	4	5	6	7	8	9
10	11	12	13	14	15	16
17	18	19	20	21	22	23
24	25	26	27	28	29	30
31						

12 December 2021

13(MON)	14(TUE)	15(WED)	16(THU)	17(FRI)☆
4	4	4	4	4
5	5	5	5	5
6	6	6	6	6
7	7	7	7	7
8	8	8	8	8
9	9	9	9	9
10	10	10	10	10
11	11	11	11	11
12	12	12	12	12
1	1	1	1	1
2	2	2	2	2
3	3	3	3	3
4	4	4	4	4
5	5	5	5	5
6	6	6	6	6
7	7	7	7	7
8	8	8	8	8
9	9	9	9	9
10	10	10	10	10
11	11	11	11	11
12	12	12	12	12
1	1	1	1	1
2	2	2	2	2
3	3	3	3	3
4	4	4	4	4

18(SAT)☆	19(SUN)
4	4
5	5
6	6
7	7
8	8
9	9
10	10
11	11
12	12
1	1
2	2
3	3
4	4
5	5
6	6
7	7
8	8
9	9
10	10
11	11
12	12
1	1
2	2
3	3
4	4

12

M	T	W	T	F	S	S
		1	2	3	4	5
6	7	8	9	10	11	12
13	14	15	16	17	18	19
20	21	22	23	24	25	26
27	28	29	30	31		

1

M	T	W	T	F	S	S
					1	2
3	4	5	6	7	8	9
10	11	12	13	14	15	16
17	18	19	20	21	22	23
24	25	26	27	28	29	30
31						

12 December 2021

20 (MON)	21 (TUE)	22 (WED)	23 (THU)	24 (FRI)
4	4	4	4	4
5	5	5	5	5
6	6	6	6	6
7	7	7	7	7
8	8	8	8	8
9	9	9	9	9
10	10	10	10	10
11	11	11	11	11
12	12	12	12	12
1	1	1	1	1
2	2	2	2	2
3	3	3	3	3
4	4	4	4	4
5	5	5	5	5
6	6	6	6	6
7	7	7	7	7
8	8	8	8	8
9	9	9	9	9
10	10	10	10	10
11	11	11	11	11
12	12	12	12	12
1	1	1	1	1
2	2	2	2	2
3	3	3	3	3
4	4	4	4	4

25(SAT)	26(SUN)

4	4
5	5
6	6
7	7
8	8
9	9
10	10
11	11
12	12
1	1
2	2
3	3
4	4
5	5
6	6
7	7
8	8
9	9
10	10
11	11
12	12
1	1
2	2
3	3
4	4

12

M	T	W	T	F	S	S
		1	2	3	4	5
6	7	8	9	10	11	12
13	14	15	16	17	18	19
20	21	22	23	24	25	26
27	28	29	30	31		

1

M	T	W	T	F	S	S
					1	2
3	4	5	6	7	8	9
10	11	12	13	14	15	16
17	18	19	20	21	22	23
24	25	26	27	28	29	30
31						

12/1 December 2021/2022

27(MON)	28(TUE)	29(WED)☆	30(THU)☆	31(FRI)
4	4	4	4	4
5	5	5	5	5
6	6	6	6	6
7	7	7	7	7
8	8	8	8	8
9	9	9	9	9
10	10	10	10	10
11	11	11	11	11
12	12	12	12	12
1	1	1	1	1
2	2	2	2	2
3	3	3	3	3
4	4	4	4	4
5	5	5	5	5
6	6	6	6	6
7	7	7	7	7
8	8	8	8	8
9	9	9	9	9
10	10	10	10	10
11	11	11	11	11
12	12	12	12	12
1	1	1	1	1
2	2	2	2	2
3	3	3	3	3
4	4	4	4	4

1 (SAT)	2 (SUN)

4
5
6
7
8
9
10
11
12
1
2
3
4
5
6
7
8
9
10
11
12
1
2
3
4

12

M	T	W	T	F	S	S
		1	2	3	4	5
6	7	8	9	10	11	12
13	14	15	16	17	18	19
20	21	22	23	24	25	26
27	28	29	30	31		

1

M	T	W	T	F	S	S
					1	2
3	4	5	6	7	8	9
10	11	12	13	14	15	16
17	18	19	20	21	22	23
24	25	26	27	28	29	30
31						

1 January 2022 **fulfillment list** when?

☐	/
☐	/
☐	/
☐	/
☐	/
☐	/
☐	/
☐	/
☐	/
☐	/
☐	/
☐	/
☐	/
☐	/
☐	/
☐	/
☐	/
☐	/
☐	/
☐	/
☐	/
☐	/
☐	/
☐	/
☐	/
☐	/
☐	/

fulfillment list

when?

☐	/
☐	/
☐	/
☐	/
☐	/
☐	/
☐	/
☐	/
☐	/
☐	/
☐	/
☐	/
☐	/
☐	/
☐	/
☐	/
☐	/
☐	/
☐	/
☐	/
☐	/
☐	/
☐	/
☐	/
☐	/
☐	/
☐	/

1 January 2022

3(MON)	4(TUE)	5(WED)	6(THU)	7(FRI)
4	4	4	4	4
5	5	5	5	5
6	6	6	6	6
7	7	7	7	7
8	8	8	8	8
9	9	9	9	9
10	10	10	10	10
11	11	11	11	11
12	12	12	12	12
1	1	1	1	1
2	2	2	2	2
3	3	3	3	3
4	4	4	4	4
5	5	5	5	5
6	6	6	6	6
7	7	7	7	7
8	8	8	8	8
9	9	9	9	9
10	10	10	10	10
11	11	11	11	11
12	12	12	12	12
1	1	1	1	1
2	2	2	2	2
3	3	3	3	3
4	4	4	4	4

8(SAT)	9(SUN)

4
5
6
7
8
9
10
11
12
1
2
3
4
5
6
7
8
9
10
11
12
1
2
3
4

1

M	T	W	T	F	S	S
					1	2
3	4	5	6	7	8	9
10	11	12	13	14	15	16
17	18	19	20	21	22	23
24	25	26	27	28	29	30
31						

2

M	T	W	T	F	S	S
	1	2	3	4	5	6
7	8	9	10	11	12	13
14	15	16	17	18	19	20
21	22	23	24	25	26	27
28						

1 January 2022

10(MON)	11(TUE)☆★	12(WED)	13(THU)	14(FRI)☆
4	4	4	4	4
5	5	5	5	5
6	6	6	6	6
7	7	7	7	7
8	8	8	8	8
9	9	9	9	9
10	10	10	10	10
11	11	11	11	11
12	12	12	12	12
1	1	1	1	1
2	2	2	2	2
3	3	3	3	3
4	4	4	4	4
5	5	5	5	5
6	6	6	6	6
7	7	7	7	7
8	8	8	8	8
9	9	9	9	9
10	10	10	10	10
11	11	11	11	11
12	12	12	12	12
1	1	1	1	1
2	2	2	2	2
3	3	3	3	3
4	4	4	4	4

15(SAT)	16(SUN)
4	4
5	5
6	6
7	7
8	8
9	9
10	10
11	11
12	12
1	1
2	2
3	3
4	4
5	5
6	6
7	7
8	8
9	9
10	10
11	11
12	12
1	1
2	2
3	3
4	4

1

M	T	W	T	F	S	S
					1	2
3	4	5	6	7	8	9
10	11	12	13	14	15	16
17	18	19	20	21	22	23
24	25	26	27	28	29	30
31						

2

M	T	W	T	F	S	S
	1	2	3	4	5	6
7	8	9	10	11	12	13
14	15	16	17	18	19	20
21	22	23	24	25	26	27
28						

1 January 2022

17(MON)	18(TUE)	19(WED)	20(THU)	21(FRI)
4	4	4	4	4
5	5	5	5	5
6	6	6	6	6
7	7	7	7	7
8	8	8	8	8
9	9	9	9	9
10	10	10	10	10
11	11	11	11	11
12	12	12	12	12
1	1	1	1	1
2	2	2	2	2
3	3	3	3	3
4	4	4	4	4
5	5	5	5	5
6	6	6	6	6
7	7	7	7	7
8	8	8	8	8
9	9	9	9	9
10	10	10	10	10
11	11	11	11	11
12	12	12	12	12
1	1	1	1	1
2	2	2	2	2
3	3	3	3	3
4	4	4	4	4

1						
M	T	W	T	F	S	S
					1	2
3	4	5	6	7	8	9
10	11	12	13	14	15	16
17	18	19	20	21	22	23
24	25	26	27	28	29	30
31						

2						
M	T	W	T	F	S	S
	1	2	3	4	5	6
7	8	9	10	11	12	13
14	15	16	17	18	19	20
21	22	23	24	25	26	27
28						

22 (SAT)	23 (SUN) ☆
4	4
5	5
6	6
7	7
8	8
9	9
0	10
1	11
2	12
1	1
2	2
3	3
4	4
5	5
6	6
7	7
8	8
9	9
0	10
1	11
2	12
1	1
2	2
3	3
4	4

1 January 2022

24(MON)	25(TUE)	26(WED)☆	27(THU)	28(FRI)
4	4	4	4	4
5	5	5	5	5
6	6	6	6	6
7	7	7	7	7
8	8	8	8	8
9	9	9	9	9
10	10	10	10	10
11	11	11	11	11
12	12	12	12	12
1	1	1	1	1
2	2	2	2	2
3	3	3	3	3
4	4	4	4	4
5	5	5	5	5
6	6	6	6	6
7	7	7	7	7
8	8	8	8	8
9	9	9	9	9
10	10	10	10	10
11	11	11	11	11
12	12	12	12	12
1	1	1	1	1
2	2	2	2	2
3	3	3	3	3
4	4	4	4	4

29 (SAT)	30 (SUN)
4	4
5	5
6	6
7	7
8	8
9	9
10	10
11	11
12	12
1	1
2	2
3	3
4	4
5	5
6	6
7	7
8	8
9	9
10	10
11	11
12	12
1	1
2	2
3	3
4	4

1

M	T	W	T	F	S	S
					1	2
3	4	5	6	7	8	9
10	11	12	13	14	15	16
17	18	19	20	21	22	23
24	25	26	27	28	29	30
31						

2

M	T	W	T	F	S	S
	1	2	3	4	5	6
7	8	9	10	11	12	13
14	15	16	17	18	19	20
21	22	23	24	25	26	27
28						

1/2 January 2022

31 (MON)	1 (TUE)	2 (WED)	3 (THU)	4 (FRI)
4	4	4	4	4
5	5	5	5	5
6	6	6	6	6
7	7	7	7	7
8	8	8	8	8
9	9	9	9	9
10	10	10	10	10
11	11	11	11	11
12	12	12	12	12
1	1	1	1	1
2	2	2	2	2
3	3	3	3	3
4	4	4	4	4
5	5	5	5	5
6	6	6	6	6
7	7	7	7	7
8	8	8	8	8
9	9	9	9	9
10	10	10	10	10
11	11	11	11	11
12	12	12	12	12
1	1	1	1	1
2	2	2	2	2
3	3	3	3	3
4	4	4	4	4

5(SAT)☆	6(SUN)

4	4
5	5
6	6
7	7
8	8
9	9
0	10
1	11
2	12
1	1
2	2
3	3
4	4
5	5
6	6
7	7
8	8
9	9
0	10
1	11
2	12
1	1
2	2
3	3
4	4

1

M	T	W	T	F	S	S
					1	2
3	4	5	6	7	8	9
10	11	12	13	14	15	16
17	18	19	20	21	22	23
24	25	26	27	28	29	30
31						

2

M	T	W	T	F	S	S
	1	2	3	4	5	6
7	8	9	10	11	12	13
14	15	16	17	18	19	20
21	22	23	24	25	26	27
28						

2 February 2022 **fulfillment list** when?

☐		/
☐		/
☐		/
☐		/
☐		/
☐		/
☐		/
☐		/
☐		/
☐		/
☐		/
☐		/
☐		/
☐		/
☐		/
☐		/
☐		/
☐		/
☐		/
☐		/
☐		/
☐		/
☐		/
☐		/
☐		/
☐		/
☐		/

fulfillment list

when?

☐	/
☐	/
☐	/
☐	/
☐	/
☐	/
☐	/
☐	/
☐	/
☐	/
☐	/
☐	/
☐	/
☐	/
☐	/
☐	/
☐	/
☐	/
☐	/
☐	/
☐	/
☐	/
☐	/
☐	/
☐	/
☐	/
☐	/

2 February 2022

7(MON)	8(TUE)	9(WED)	10(THU)☆	11(FRI)
4	4	4	4	4
5	5	5	5	5
6	6	6	6	6
7	7	7	7	7
8	8	8	8	8
9	9	9	9	9
10	10	10	10	10
11	11	11	11	11
12	12	12	12	12
1	1	1	1	1
2	2	2	2	2
3	3	3	3	3
4	4	4	4	4
5	5	5	5	5
6	6	6	6	6
7	7	7	7	7
8	8	8	8	8
9	9	9	9	9
10	10	10	10	10
11	11	11	11	11
12	12	12	12	12
1	1	1	1	1
2	2	2	2	2
3	3	3	3	3
4	4	4	4	4

12(SAT)	13(SUN)

4
5
6
7
8
9
10
11
12
1
2
3
4
5
6
7
8
9
10
11
12
1
2
3
4

2

M	T	W	T	F	S	S
	1	2	3	4	5	6
7	8	9	10	11	12	13
14	15	16	17	18	19	20
21	22	23	24	25	26	27
28						

3

M	T	W	T	F	S	S
	1	2	3	4	5	6
7	8	9	10	11	12	13
14	15	16	17	18	19	20
21	22	23	24	25	26	27
28	29	30	31			

2 February 2022

14(MON)	15(TUE)	16(WED)	17(THU)☆	18(FRI)
4	4	4	4	4
5	5	5	5	5
6	6	6	6	6
7	7	7	7	7
8	8	8	8	8
9	9	9	9	9
10	10	10	10	10
11	11	11	11	11
12	12	12	12	12
1	1	1	1	1
2	2	2	2	2
3	3	3	3	3
4	4	4	4	4
5	5	5	5	5
6	6	6	6	6
7	7	7	7	7
8	8	8	8	8
9	9	9	9	9
10	10	10	10	10
11	11	11	11	11
12	12	12	12	12
1	1	1	1	1
2	2	2	2	2
3	3	3	3	3
4	4	4	4	4

19(SAT)	20(SUN)

4
5
6
7
8
9
10
11
12
1
2
3
4
5
6
7
8
9
10
11
12
1
2
3
4

M	T	W	T	F	S	S
	1	2	3	4	5	6
7	8	9	10	11	12	13
14	15	16	17	18	19	20
21	22	23	24	25	26	27
28						

3

M	T	W	T	F	S	S
	1	2	3	4	5	6
7	8	9	10	11	12	13
14	15	16	17	18	19	20
21	22	23	24	25	26	27
28	29	30	31			

2 February 2022

21 (MON)	22 (TUE) ☆	23 (WED)	24 (THU)	25 (FRI)
4	4	4	4	4
5	5	5	5	5
6	6	6	6	6
7	7	7	7	7
8	8	8	8	8
9	9	9	9	9
10	10	10	10	10
11	11	11	11	11
12	12	12	12	12
1	1	1	1	1
2	2	2	2	2
3	3	3	3	3
4	4	4	4	4
5	5	5	5	5
6	6	6	6	6
7	7	7	7	7
8	8	8	8	8
9	9	9	9	9
10	10	10	10	10
11	11	11	11	11
12	12	12	12	12
1	1	1	1	1
2	2	2	2	2
3	3	3	3	3
4	4	4	4	4

M	T	W	T	F	S	S
2						
	1	2	3	4	5	6
7	8	9	10	11	12	13
14	15	16	17	18	19	20
21	22	23	24	25	26	27
28						

M	T	W	T	F	S	S
3						
	1	2	3	4	5	6
7	8	9	10	11	12	13
14	15	16	17	18	19	20
21	22	23	24	25	26	27
28	29	30	31			

26(SAT)	27(SUN)
4	4
5	5
6	6
7	7
8	8
9	9
0	10
1	11
2	12
1	1
2	2
3	3
4	4
5	5
6	6
7	7
8	8
9	9
0	10
1	11
2	12
1	1
2	2
3	3
4	4

2/3 February 2022

28 (MON)	1 (TUE) ☆	2 (WED)	3 (THU)	4 (FRI)
4	4	4	4	4
5	5	5	5	5
6	6	6	6	6
7	7	7	7	7
8	8	8	8	8
9	9	9	9	9
10	10	10	10	10
11	11	11	11	11
12	12	12	12	12
1	1	1	1	1
2	2	2	2	2
3	3	3	3	3
4	4	4	4	4
5	5	5	5	5
6	6	6	6	6
7	7	7	7	7
8	8	8	8	8
9	9	9	9	9
10	10	10	10	10
11	11	11	11	11
12	12	12	12	12
1	1	1	1	1
2	2	2	2	2
3	3	3	3	3
4	4	4	4	4

5(SAT)	6(SUN)

4
5
6
7
8
9
10
11
12
1
2
3
4
5
6
7
8
9
10
11
12
1
2
3
4

2

M	T	W	T	F	S	S
	1	2	3	4	5	6
7	8	9	10	11	12	13
14	15	16	17	18	19	20
21	22	23	24	25	26	27
28						

3

M	T	W	T	F	S	S
	1	2	3	4	5	6
7	8	9	10	11	12	13
14	15	16	17	18	19	20
21	22	23	24	25	26	27
28	29	30	31			

fulfillment list

when?

	when?
☐	/
☐	/
☐	/
☐	/
☐	/
☐	/
☐	/
☐	/
☐	/
☐	/
☐	/
☐	/
☐	/
☐	/
☐	/
☐	/
☐	/
☐	/
☐	/
☐	/
☐	/
☐	/
☐	/
☐	/
☐	/
☐	/

fulfillment list

	when?
☐	/
☐	/
☐	/
☐	/
☐	/
☐	/
☐	/
☐	/
☐	/
☐	/
☐	/
☐	/
☐	/
☐	/
☐	/
☐	/
☐	/
☐	/
☐	/
☐	/
☐	/
☐	/
☐	/
☐	/
☐	/
☐	/
☐	/

3 March 2022

7(MON)	8(TUE)	9(WED)☆	10(THU)	11(FRI)
4	4	4	4	4
5	5	5	5	5
6	6	6	6	6
7	7	7	7	7
8	8	8	8	8
9	9	9	9	9
10	10	10	10	10
11	11	11	11	11
12	12	12	12	12
1	1	1	1	1
2	2	2	2	2
3	3	3	3	3
4	4	4	4	4
5	5	5	5	5
6	6	6	6	6
7	7	7	7	7
8	8	8	8	8
9	9	9	9	9
10	10	10	10	10
11	11	11	11	11
12	12	12	12	12
1	1	1	1	1
2	2	2	2	2
3	3	3	3	3
4	4	4	4	4

12 (SAT)	13 (SUN)

4	4
5	5
6	6
7	7
8	8
9	9
0	10
1	11
2	12
1	1
2	2
3	3
4	4
5	5
6	6
7	7
8	8
9	9
0	10
1	11
2	12
1	1
2	2
3	3
4	4

3

M	T	W	T	F	S	S
	1	2	3	4	5	6
7	8	9	10	11	12	13
14	15	16	17	18	19	20
21	22	23	24	25	26	27
28	29	30	31			

4

M	T	W	T	F	S	S
				1	2	3
4	5	6	7	8	9	10
11	12	13	14	15	16	17
18	19	20	21	22	23	24
25	26	27	28	29	30	

3 March 2022

14(MON)☆	15(TUE)	16(WED)	17(THU)	18(FRI)
4	4	4	4	4
5	5	5	5	5
6	6	6	6	6
7	7	7	7	7
8	8	8	8	8
9	9	9	9	9
10	10	10	10	10
11	11	11	11	11
12	12	12	12	12
1	1	1	1	1
2	2	2	2	2
3	3	3	3	3
4	4	4	4	4
5	5	5	5	5
6	6	6	6	6
7	7	7	7	7
8	8	8	8	8
9	9	9	9	9
10	10	10	10	10
11	11	11	11	11
12	12	12	12	12
1	1	1	1	1
2	2	2	2	2
3	3	3	3	3
4	4	4	4	4

19(SAT)	20(SUN)
4	4
5	5
6	6
7	7
8	8
9	9
10	10
11	11
12	12
1	1
2	2
3	3
4	4
5	5
6	6
7	7
8	8
9	9
10	10
11	11
12	12
1	1
2	2
3	3
4	4

3

M	T	W	T	F	S	S
	1	2	3	4	5	6
7	8	9	10	11	12	13
14	15	16	17	18	19	20
21	22	23	24	25	26	27
28	29	30	31			

4

M	T	W	T	F	S	S
				1	2	3
4	5	6	7	8	9	10
11	12	13	14	15	16	17
18	19	20	21	22	23	24
25	26	27	28	29	30	

3 March 2022

21 (MON) ☆	22 (TUE)	23 (WED)	24 (THU)	25 (FRI)
4	4	4	4	4
5	5	5	5	5
6	6	6	6	6
7	7	7	7	7
8	8	8	8	8
9	9	9	9	9
10	10	10	10	10
11	11	11	11	11
12	12	12	12	12
1	1	1	1	1
2	2	2	2	2
3	3	3	3	3
4	4	4	4	4
5	5	5	5	5
6	6	6	6	6
7	7	7	7	7
8	8	8	8	8
9	9	9	9	9
10	10	10	10	10
11	11	11	11	11
12	12	12	12	12
1	1	1	1	1
2	2	2	2	2
3	3	3	3	3
4	4	4	4	4

3						
M	T	W	T	F	S	S
	1	2	3	4	5	6
7	8	9	10	11	12	13
14	15	16	17	18	19	20
21	22	23	24	25	26	27
28	29	30	31			

4						
M	T	W	T	F	S	S
				1	2	3
4	5	6	7	8	9	10
11	12	13	14	15	16	17
18	19	20	21	22	23	24
25	26	27	28	29	30	

26(SAT)☆★	27(SUN)
4	4
5	5
6	6
7	7
8	8
9	9
10	10
11	11
12	12
1	1
2	2
3	3
4	4
5	5
6	6
7	7
8	8
9	9
10	10
11	11
12	12
1	1
2	2
3	3
4	4

3/4 March 2022

28 (MON)	29 (TUE)	30 (WED)	31 (THU)	1 (FRI)
4	4	4	4	4
5	5	5	5	5
6	6	6	6	6
7	7	7	7	7
8	8	8	8	8
9	9	9	9	9
10	10	10	10	10
11	11	11	11	11
12	12	12	12	12
1	1	1	1	1
2	2	2	2	2
3	3	3	3	3
4	4	4	4	4
5	5	5	5	5
6	6	6	6	6
7	7	7	7	7
8	8	8	8	8
9	9	9	9	9
10	10	10	10	10
11	11	11	11	11
12	12	12	12	12
1	1	1	1	1
2	2	2	2	2
3	3	3	3	3
4	4	4	4	4

3

M	T	W	T	F	S	S
	1	2	3	4	5	6
7	8	9	10	11	12	13
14	15	16	17	18	19	20
21	22	23	24	25	26	27
28	29	30	31			

4

M	T	W	T	F	S	S
				1	2	3
4	5	6	7	8	9	10
11	12	13	14	15	16	17
18	19	20	21	22	23	24
25	26	27	28	29	30	

2(SAT)☆	3(SUN)

4
5
6
7
8
9
10
11
12
1
2
3
4
5
6
7
8
9
10
11
12
1
2
3
4

4 April 2022

fulfillment list

when?

☐		/
☐		/
☐		/
☐		/
☐		/
☐		/
☐		/
☐		/
☐		/
☐		/
☐		/
☐		/
☐		/
☐		/
☐		/
☐		/
☐		/
☐		/
☐		/
☐		/
☐		/
☐		/
☐		/
☐		/
☐		/
☐		/
☐		/

fulfillment list

when?

4 April 2022

4 (MON)	5 (TUE) ☆	6 (WED)	7 (THU)	8 (FRI) ☆
4	4	4	4	4
5	5	5	5	5
6	6	6	6	6
7	7	7	7	7
8	8	8	8	8
9	9	9	9	9
10	10	10	10	10
11	11	11	11	11
12	12	12	12	12
1	1	1	1	1
2	2	2	2	2
3	3	3	3	3
4	4	4	4	4
5	5	5	5	5
6	6	6	6	6
7	7	7	7	7
8	8	8	8	8
9	9	9	9	9
10	10	10	10	10
11	11	11	11	11
12	12	12	12	12
1	1	1	1	1
2	2	2	2	2
3	3	3	3	3
4	4	4	4	4

9(SAT)	10(SUN)

4
·
5
·
6
·
7
·
8
·
9
·
10
·
11
·
12
·
1
·
2
·
3
·
4
·
5
·
6
·
7
·
8
·
9
·
10
·
11
·
12
·
1
·
2
·
3
·
4

4

M	T	W	T	F	S	S
				1	2	3
4	5	6	7	8	9	10
11	12	13	14	15	16	17
18	19	20	21	22	23	24
25	26	27	28	29	30	

5

M	T	W	T	F	S	S
						1
2	3	4	5	6	7	8
9	10	11	12	13	14	15
16	17	18	19	20	21	22
23	24	25	26	27	28	29
30	31					

4 April 2022

11 (MON)	12 (TUE)	13 (WED)	14 (THU)	15 (FRI)
4	4	4	4	4
5	5	5	5	5
6	6	6	6	6
7	7	7	7	7
8	8	8	8	8
9	9	9	9	9
10	10	10	10	10
11	11	11	11	11
12	12	12	12	12
1	1	1	1	1
2	2	2	2	2
3	3	3	3	3
4	4	4	4	4
5	5	5	5	5
6	6	6	6	6
7	7	7	7	7
8	8	8	8	8
9	9	9	9	9
10	10	10	10	10
11	11	11	11	11
12	12	12	12	12
1	1	1	1	1
2	2	2	2	2
3	3	3	3	3
4	4	4	4	4

16(SAT)	17(SUN)

4 · 5 · 6 · 7 · 8 · 9 · 10 · 11 · 12 · 1 · 2 · 3 · 4 · 5 · 6 · 7 · 8 · 9 · 10 · 11 · 12 · 1 · 2 · 3 · 4

4

M	T	W	T	F	S	S
				1	2	3
4	5	6	7	8	9	10
11	12	13	14	15	16	17
18	19	20	21	22	23	24
25	26	27	28	29	30	

5

M	T	W	T	F	S	S
						1
2	3	4	5	6	7	8
9	10	11	12	13	14	15
16	17	18	19	20	21	22
23	24	25	26	27	28	29
30	31					

4 April 2022

18(MON)	19(TUE)	20(WED)☆	21(THU)	22(FRI)
4	4	4	4	4
5	5	5	5	5
6	6	6	6	6
7	7	7	7	7
8	8	8	8	8
9	9	9	9	9
10	10	10	10	10
11	11	11	11	11
12	12	12	12	12
1	1	1	1	1
2	2	2	2	2
3	3	3	3	3
4	4	4	4	4
5	5	5	5	5
6	6	6	6	6
7	7	7	7	7
8	8	8	8	8
9	9	9	9	9
10	10	10	10	10
11	11	11	11	11
12	12	12	12	12
1	1	1	1	1
2	2	2	2	2
3	3	3	3	3
4	4	4	4	4

4						
M	T	W	T	F	S	S
				1	2	3
4	5	6	7	8	9	10
11	12	13	14	15	16	17
18	19	20	21	22	23	24
25	26	27	28	29	30	

5						
M	T	W	T	F	S	S
						1
2	3	4	5	6	7	8
9	10	11	12	13	14	15
16	17	18	19	20	21	22
23	24	25	26	27	28	29
30	31					

23 (SAT)	24 (SUN)
4	4
5	5
6	6
7	7
8	8
9	9
0	10
1	11
2	12
1	1
2	2
3	3
4	4
5	5
6	6
7	7
8	8
9	9
0	10
1	11
2	12
1	1
2	2
3	3
4	4

4/5 April 2022

25(MON)	26(TUE)	27(WED)	28(THU)	29(FRI)☆
4	4	4	4	4
5	5	5	5	5
6	6	6	6	6
7	7	7	7	7
8	8	8	8	8
9	9	9	9	9
10	10	10	10	10
11	11	11	11	11
12	12	12	12	12
1	1	1	1	1
2	2	2	2	2
3	3	3	3	3
4	4	4	4	4
5	5	5	5	5
6	6	6	6	6
7	7	7	7	7
8	8	8	8	8
9	9	9	9	9
10	10	10	10	10
11	11	11	11	11
12	12	12	12	12
1	1	1	1	1
2	2	2	2	2
3	3	3	3	3
4	4	4	4	4

30 (SAT)	1 (SUN)
4	4
5	5
6	6
7	7
8	8
9	9
10	10
11	11
12	12
1	1
2	2
3	3
4	4
5	5
6	6
7	7
8	8
9	9
10	10
11	11
12	12
1	1
2	2
3	3
4	4

4

M	T	W	T	F	S	S
				1	2	3
4	5	6	7	8	9	10
11	12	13	14	15	16	17
18	19	20	21	22	23	24
25	26	27	28	29	30	

5

M	T	W	T	F	S	S
						1
2	3	4	5	6	7	8
9	10	11	12	13	14	15
16	17	18	19	20	21	22
23	24	25	26	27	28	29
30	31					

5 May 2022 **fulfillment list** when?

☐	/
☐	/
☐	/
☐	/
☐	/
☐	/
☐	/
☐	/
☐	/
☐	/
☐	/
☐	/
☐	/
☐	/
☐	/
☐	/
☐	/
☐	/
☐	/
☐	/
☐	/
☐	/
☐	/
☐	/
☐	/
☐	/
☐	/

fulfillment list	when?
☐	/
☐	/
☐	/
☐	/
☐	/
☐	/
☐	/
☐	/
☐	/
☐	/
☐	/
☐	/
☐	/
☐	/
☐	/
☐	/
☐	/
☐	/
☐	/
☐	/
☐	/
☐	/
☐	/
☐	/
☐	/
☐	/
☐	/

5 May 2022

2(MON)☆	3(TUE)	4(WED)	5(THU)	6(FRI)
4	4	4	4	4
5	5	5	5	5
6	6	6	6	6
7	7	7	7	7
8	8	8	8	8
9	9	9	9	9
10	10	10	10	10
11	11	11	11	11
12	12	12	12	12
1	1	1	1	1
2	2	2	2	2
3	3	3	3	3
4	4	4	4	4
5	5	5	5	5
6	6	6	6	6
7	7	7	7	7
8	8	8	8	8
9	9	9	9	9
10	10	10	10	10
11	11	11	11	11
12	12	12	12	12
1	1	1	1	1
2	2	2	2	2
3	3	3	3	3
4	4	4	4	4

5

M	T	W	T	F	S	S
						1
2	3	4	5	6	7	8
9	10	11	12	13	14	15
16	17	18	19	20	21	22
23	24	25	26	27	28	29
30	31					

6

M	T	W	T	F	S	S
		1	2	3	4	5
6	7	8	9	10	11	12
13	14	15	16	17	18	19
20	21	22	23	24	25	26
27	28	29	30			

7(SAT)	8(SUN)
4	4
5	5
6	6
7	7
8	8
9	9
10	10
11	11
12	12
1	1
2	2
3	3
4	4
5	5
6	6
7	7
8	8
9	9
10	10
11	11
12	12
1	1
2	2
3	3
4	4

5 May 2022

9(MON)	10(TUE)	11(WED)	12(THU)	13(FRI)
4	4	4	4	4
5	5	5	5	5
6	6	6	6	6
7	7	7	7	7
8	8	8	8	8
9	9	9	9	9
10	10	10	10	10
11	11	11	11	11
12	12	12	12	12
1	1	1	1	1
2	2	2	2	2
3	3	3	3	3
4	4	4	4	4
5	5	5	5	5
6	6	6	6	6
7	7	7	7	7
8	8	8	8	8
9	9	9	9	9
10	10	10	10	10
11	11	11	11	11
12	12	12	12	12
1	1	1	1	1
2	2	2	2	2
3	3	3	3	3
4	4	4	4	4

14(SAT)☆	15(SUN)☆

4
5
6
7
8
9
10
11
12
1
2
3
4
5
6
7
8
9
10
11
12
1
2
3
4

5

M	T	W	T	F	S	S
						1
2	3	4	5	6	7	8
9	10	11	12	13	14	15
16	17	18	19	20	21	22
23	24	25	26	27	28	29
30	31					

6

M	T	W	T	F	S	S
		1	2	3	4	5
6	7	8	9	10	11	12
13	14	15	16	17	18	19
20	21	22	23	24	25	26
27	28	29	30			

5 May 2022

16(MON)	17(TUE)	18(WED)	19(THU)	20(FRI)
4	4	4	4	4
5	5	5	5	5
6	6	6	6	6
7	7	7	7	7
8	8	8	8	8
9	9	9	9	9
10	10	10	10	10
11	11	11	11	11
12	12	12	12	12
1	1	1	1	1
2	2	2	2	2
3	3	3	3	3
4	4	4	4	4
5	5	5	5	5
6	6	6	6	6
7	7	7	7	7
8	8	8	8	8
9	9	9	9	9
10	10	10	10	10
11	11	11	11	11
12	12	12	12	12
1	1	1	1	1
2	2	2	2	2
3	3	3	3	3
4	4	4	4	4

21 (SAT)	22 (SUN)

4
5
6
7
8
9
10
11
12
1
2
3
4
5
6
7
8
9
10
11
12
1
2
3
4

5

M	T	W	T	F	S	S
						1
2	3	4	5	6	7	8
9	10	11	12	13	14	15
16	17	18	19	20	21	22
23	24	25	26	27	28	29
30	31					

6

M	T	W	T	F	S	S
		1	2	3	4	5
6	7	8	9	10	11	12
13	14	15	16	17	18	19
20	21	22	23	24	25	26
27	28	29	30			

5 May 2022

23(MON)	24(TUE)	25(WED)	26(THU)☆	27(FRI)☆
4	4	4	4	4
5	5	5	5	5
6	6	6	6	6
7	7	7	7	7
8	8	8	8	8
9	9	9	9	9
10	10	10	10	10
11	11	11	11	11
12	12	12	12	12
1	1	1	1	1
2	2	2	2	2
3	3	3	3	3
4	4	4	4	4
5	5	5	5	5
6	6	6	6	6
7	7	7	7	7
8	8	8	8	8
9	9	9	9	9
10	10	10	10	10
11	11	11	11	11
12	12	12	12	12
1	1	1	1	1
2	2	2	2	2
3	3	3	3	3
4	4	4	4	4

5						
M	T	W	T	F	S	S
						1
2	3	4	5	6	7	8
9	10	11	12	13	14	15
16	17	18	19	20	21	22
23	24	25	26	27	28	29
30	31					

6						
M	T	W	T	F	S	S
		1	2	3	4	5
6	7	8	9	10	11	12
13	14	15	16	17	18	19
20	21	22	23	24	25	26
27	28	29	30			

28 (SAT)	29 (SUN)
4	4
5	5
6	6
7	7
8	8
9	9
0	10
1	11
2	12
1	1
2	2
3	3
4	4
5	5
6	6
7	7
8	8
9	9
0	10
1	11
2	12
1	1
2	2
3	3
4	4

5/6 May 2022

30 (MON)	31 (TUE)	1 (WED)	2 (THU)	3 (FRI)
4	4	4	4	4
5	5	5	5	5
6	6	6	6	6
7	7	7	7	7
8	8	8	8	8
9	9	9	9	9
10	10	10	10	10
11	11	11	11	11
12	12	12	12	12
1	1	1	1	1
2	2	2	2	2
3	3	3	3	3
4	4	4	4	4
5	5	5	5	5
6	6	6	6	6
7	7	7	7	7
8	8	8	8	8
9	9	9	9	9
10	10	10	10	10
11	11	11	11	11
12	12	12	12	12
1	1	1	1	1
2	2	2	2	2
3	3	3	3	3
4	4	4	4	4

4(SAT)	5(SUN)

4
5
6
7
8
9
10
11
12
1
2
3
4
5
6
7
8
9
10
11
12
1
2
3
4

5

M	T	W	T	F	S	S
						1
2	3	4	5	6	7	8
9	10	11	12	13	14	15
16	17	18	19	20	21	22
23	24	25	26	27	28	29
30	31					

6

M	T	W	T	F	S	S
		1	2	3	4	5
6	7	8	9	10	11	12
13	14	15	16	17	18	19
20	21	22	23	24	25	26
27	28	29	30			

6 June 2022

fulfillment list

when?

fulfillment list

	when?
☐	/
☐	/
☐	/
☐	/
☐	/
☐	/
☐	/
☐	/
☐	/
☐	/
☐	/
☐	/
☐	/
☐	/
☐	/
☐	/
☐	/
☐	/
☐	/
☐	/
☐	/
☐	/
☐	/
☐	/
☐	/
☐	/

6 June 2022

6(MON)	7(TUE)	8(WED)	9(THU)☆	10(FRI)☆★
4	4	4	4	4
5	5	5	5	5
6	6	6	6	6
7	7	7	7	7
8	8	8	8	8
9	9	9	9	9
10	10	10	10	10
11	11	11	11	11
12	12	12	12	12
1	1	1	1	1
2	2	2	2	2
3	3	3	3	3
4	4	4	4	4
5	5	5	5	5
6	6	6	6	6
7	7	7	7	7
8	8	8	8	8
9	9	9	9	9
10	10	10	10	10
11	11	11	11	11
12	12	12	12	12
1	1	1	1	1
2	2	2	2	2
3	3	3	3	3
4	4	4	4	4

	11 (SAT)	12 (SUN)
4		
5		
6		
7		
8		
9		
10		
11		
12		
1		
2		
3		
4		
5		
6		
7		
8		
9		
10		
11		
12		
1		
2		
3		
4		

6

M	T	W	T	F	S	S
		1	2	3	4	5
6	7	8	9	10	11	12
13	14	15	16	17	18	19
20	21	22	23	24	25	26
27	28	29	30			

7

M	T	W	T	F	S	S
				1	2	3
4	5	6	7	8	9	10
11	12	13	14	15	16	17
18	19	20	21	22	23	24
25	26	27	28	29	30	31

6 June 2022

13(MON)	14(TUE)	15(WED)	16(THU)	17(FRI)
4	4	4	4	4
5	5	5	5	5
6	6	6	6	6
7	7	7	7	7
8	8	8	8	8
9	9	9	9	9
10	10	10	10	10
11	11	11	11	11
12	12	12	12	12
1	1	1	1	1
2	2	2	2	2
3	3	3	3	3
4	4	4	4	4
5	5	5	5	5
6	6	6	6	6
7	7	7	7	7
8	8	8	8	8
9	9	9	9	9
10	10	10	10	10
11	11	11	11	11
12	12	12	12	12
1	1	1	1	1
2	2	2	2	2
3	3	3	3	3
4	4	4	4	4

18(SAT)	19(SUN)

4
5
6
7
8
9
10
11
12
1
2
3
4
5
6
7
8
9
10
11
12
1
2
3
4

6

M	T	W	T	F	S	S
		1	2	3	4	5
6	7	8	9	10	11	12
13	14	15	16	17	18	19
20	21	22	23	24	25	26
27	28	29	30			

7

M	T	W	T	F	S	S
				1	2	3
4	5	6	7	8	9	10
11	12	13	14	15	16	17
18	19	20	21	22	23	24
25	26	27	28	29	30	31

6 June 2022

20 (MON)	21 (TUE) ☆	22 (WED) ☆	23 (THU)	24 (FRI)
4	4	4	4	4
5	5	5	5	5
6	6	6	6	6
7	7	7	7	7
8	8	8	8	8
9	9	9	9	9
10	10	10	10	10
11	11	11	11	11
12	12	12	12	12
1	1	1	1	1
2	2	2	2	2
3	3	3	3	3
4	4	4	4	4
5	5	5	5	5
6	6	6	6	6
7	7	7	7	7
8	8	8	8	8
9	9	9	9	9
10	10	10	10	10
11	11	11	11	11
12	12	12	12	12
1	1	1	1	1
2	2	2	2	2
3	3	3	3	3
4	4	4	4	4

25(SAT)	26(SUN)

4
5
6
7
8
9
10
11
12
1
2
3
4
5
6
7
8
9
10
11
12
1
2
3
4

6

M	T	W	T	F	S	S
		1	2	3	4	5
6	7	8	9	10	11	12
13	14	15	16	17	18	19
20	21	22	23	24	25	26
27	28	29	30			

7

M	T	W	T	F	S	S
				1	2	3
4	5	6	7	8	9	10
11	12	13	14	15	16	17
18	19	20	21	22	23	24
25	26	27	28	29	30	31

6/7 June 2022

27 (MON)	28 (TUE)	29 (WED)	30 (THU)	1 (FRI)
4	4	4	4	4
5	5	5	5	5
6	6	6	6	6
7	7	7	7	7
8	8	8	8	8
9	9	9	9	9
10	10	10	10	10
11	11	11	11	11
12	12	12	12	12
1	1	1	1	1
2	2	2	2	2
3	3	3	3	3
4	4	4	4	4
5	5	5	5	5
6	6	6	6	6
7	7	7	7	7
8	8	8	8	8
9	9	9	9	9
10	10	10	10	10
11	11	11	11	11
12	12	12	12	12
1	1	1	1	1
2	2	2	2	2
3	3	3	3	3
4	4	4	4	4

2(SAT)	3(SUN)☆

6

M	T	W	T	F	S	S
		1	2	3	4	5
6	7	8	9	10	11	12
13	14	15	16	17	18	19
20	21	22	23	24	25	26
27	28	29	30			

7

M	T	W	T	F	S	S
				1	2	3
4	5	6	7	8	9	10
11	12	13	14	15	16	17
18	19	20	21	22	23	24
25	26	27	28	29	30	31

4
5
6
7
8
9
10
11
12
1
2
3
4
5
6
7
8
9
10
11
12
1
2
3
4

7 July 2022

f u l f i l l m e n t   l i s t

	fulfillment list	when?
☐		/
☐		/
☐		/
☐		/
☐		/
☐		/
☐		/
☐		/
☐		/
☐		/
☐		/
☐		/
☐		/
☐		/
☐		/
☐		/
☐		/
☐		/
☐		/
☐		/
☐		/
☐		/
☐		/
☐		/
☐		/
☐		/
☐		/

fulfillment list	when?
☐	/
☐	/
☐	/
☐	/
☐	/
☐	/
☐	/
☐	/
☐	/
☐	/
☐	/
☐	/
☐	/
☐	/
☐	/
☐	/
☐	/
☐	/
☐	/
☐	/
☐	/
☐	/
☐	/
☐	/
☐	/
☐	/
☐	/

7 July 2022

4(MON)	5(TUE)	6(WED)	7(THU)☆	8(FRI)
4	4	4	4	4
5	5	5	5	5
6	6	6	6	6
7	7	7	7	7
8	8	8	8	8
9	9	9	9	9
10	10	10	10	10
11	11	11	11	11
12	12	12	12	12
1	1	1	1	1
2	2	2	2	2
3	3	3	3	3
4	4	4	4	4
5	5	5	5	5
6	6	6	6	6
7	7	7	7	7
8	8	8	8	8
9	9	9	9	9
10	10	10	10	10
11	11	11	11	11
12	12	12	12	12
1	1	1	1	1
2	2	2	2	2
3	3	3	3	3
4	4	4	4	4

9(SAT)	10(SUN)
4	4
5	5
6	6
7	7
8	8
9	9
10	10
11	11
12	12
1	1
2	2
3	3
4	4
5	5
6	6
7	7
8	8
9	9
10	10
11	11
12	12
1	1
2	2
3	3
4	4

7

M	T	W	T	F	S	S
				1	2	3
4	5	6	7	8	9	10
11	12	13	14	15	16	17
18	19	20	21	22	23	24
25	26	27	28	29	30	31

8

M	T	W	T	F	S	S
1	2	3	4	5	6	7
8	9	10	11	12	13	14
15	16	17	18	19	20	21
22	23	24	25	26	27	28
29	30	31				

7 July 2022

11 (MON)	12 (TUE)	13 (WED)	14 (THU)	15 (FRI)
4	4	4	4	4
5	5	5	5	5
6	6	6	6	6
7	7	7	7	7
8	8	8	8	8
9	9	9	9	9
10	10	10	10	10
11	11	11	11	11
12	12	12	12	12
1	1	1	1	1
2	2	2	2	2
3	3	3	3	3
4	4	4	4	4
5	5	5	5	5
6	6	6	6	6
7	7	7	7	7
8	8	8	8	8
9	9	9	9	9
10	10	10	10	10
11	11	11	11	11
12	12	12	12	12
1	1	1	1	1
2	2	2	2	2
3	3	3	3	3
4	4	4	4	4

16(SAT)☆	17(SUN)
4	4
5	5
6	6
7	7
8	8
9	9
10	10
11	11
12	12
1	1
2	2
3	3
4	4
5	5
6	6
7	7
8	8
9	9
10	10
11	11
12	12
1	1
2	2
3	3
4	4

7

M	T	W	T	F	S	S
				1	2	3
4	5	6	7	8	9	10
11	12	13	14	15	16	17
18	19	20	21	22	23	24
25	26	27	28	29	30	31

8

M	T	W	T	F	S	S
1	2	3	4	5	6	7
8	9	10	11	12	13	14
15	16	17	18	19	20	21
22	23	24	25	26	27	28
29	30	31				

7 July 2022

18(MON)	19(TUE)☆	20(WED)	21(THU)	22(FRI)
4	4	4	4	4
5	5	5	5	5
6	6	6	6	6
7	7	7	7	7
8	8	8	8	8
9	9	9	9	9
10	10	10	10	10
11	11	11	11	11
12	12	12	12	12
1	1	1	1	1
2	2	2	2	2
3	3	3	3	3
4	4	4	4	4
5	5	5	5	5
6	6	6	6	6
7	7	7	7	7
8	8	8	8	8
9	9	9	9	9
10	10	10	10	10
11	11	11	11	11
12	12	12	12	12
1	1	1	1	1
2	2	2	2	2
3	3	3	3	3
4	4	4	4	4

7

M	T	W	T	F	S	S
				1	2	3
4	5	6	7	8	9	10
11	12	13	14	15	16	17
18	19	20	21	22	23	24
25	26	27	28	29	30	31

8

M	T	W	T	F	S	S
1	2	3	4	5	6	7
8	9	10	11	12	13	14
15	16	17	18	19	20	21
22	23	24	25	26	27	28
29	30	31				

23 (SAT)	24 (SUN)
4	4
5	5
6	6
7	7
8	8
9	9
10	10
11	11
12	12
1	1
2	2
3	3
4	4
5	5
6	6
7	7
8	8
9	9
10	10
11	11
12	12
1	1
2	2
3	3
4	4

7 July 2022

25 (MON)	26 (TUE)	27 (WED)	28 (THU)	29 (FRI)
4	4	4	4	4
5	5	5	5	5
6	6	6	6	6
7	7	7	7	7
8	8	8	8	8
9	9	9	9	9
10	10	10	10	10
11	11	11	11	11
12	12	12	12	12
1	1	1	1	1
2	2	2	2	2
3	3	3	3	3
4	4	4	4	4
5	5	5	5	5
6	6	6	6	6
7	7	7	7	7
8	8	8	8	8
9	9	9	9	9
10	10	10	10	10
11	11	11	11	11
12	12	12	12	12
1	1	1	1	1
2	2	2	2	2
3	3	3	3	3
4	4	4	4	4

M	T	W	T	F	S	S
7						
				1	2	3
4	5	6	7	8	9	10
11	12	13	14	15	16	17
18	19	20	21	22	23	24
25	26	27	28	29	30	31

M	T	W	T	F	S	S
8						
1	2	3	4	5	6	7
8	9	10	11	12	13	14
15	16	17	18	19	20	21
22	23	24	25	26	27	28
29	30	31				

30 (SAT)	31 (SUN)
4	4
5	5
6	6
7	7
8	8
9	9
10	10
11	11
12	12
1	1
2	2
3	3
4	4
5	5
6	6
7	7
8	8
9	9
10	10
11	11
12	12
1	1
2	2
3	3
4	4

8 August 2022 **fulfillment list** when?

☐	/
☐	/
☐	/
☐	/
☐	/
☐	/
☐	/
☐	/
☐	/
☐	/
☐	/
☐	/
☐	/
☐	/
☐	/
☐	/
☐	/
☐	/
☐	/
☐	/
☐	/
☐	/
☐	/
☐	/
☐	/
☐	/
☐	/

fulfillment list

	when?
☐	/
☐	/
☐	/
☐	/
☐	/
☐	/
☐	/
☐	/
☐	/
☐	/
☐	/
☐	/
☐	/
☐	/
☐	/
☐	/
☐	/
☐	/
☐	/
☐	/
☐	/
☐	/
☐	/
☐	/
☐	/
☐	/
☐	/

8 August 2022

1(MON)	2(TUE)	3(WED)	4(THU)	5(FRI)
4	4	4	4	4
5	5	5	5	5
6	6	6	6	6
7	7	7	7	7
8	8	8	8	8
9	9	9	9	9
10	10	10	10	10
11	11	11	11	11
12	12	12	12	12
1	1	1	1	1
2	2	2	2	2
3	3	3	3	3
4	4	4	4	4
5	5	5	5	5
6	6	6	6	6
7	7	7	7	7
8	8	8	8	8
9	9	9	9	9
10	10	10	10	10
11	11	11	11	11
12	12	12	12	12
1	1	1	1	1
2	2	2	2	2
3	3	3	3	3
4	4	4	4	4

8						
M	T	W	T	F	S	S
1	2	3	4	5	6	7
8	9	10	11	12	13	14
15	16	17	18	19	20	21
22	23	24	25	26	27	28
29	30	31				

9						
M	T	W	T	F	S	S
			1	2	3	4
5	6	7	8	9	10	11
12	13	14	15	16	17	18
19	20	21	22	23	24	25
26	27	28	29	30		

6(SAT)	7(SUN)

4
5
6
7
8
9
10
11
12
1
2
3
4
5
6
7
8
9
10
11
12
1
2
3
4

8 August 2022

8(MON)	9(TUE)	10(WED)☆	11(THU)	12(FRI)
4	4	4	4	4
5	5	5	5	5
6	6	6	6	6
7	7	7	7	7
8	8	8	8	8
9	9	9	9	9
10	10	10	10	10
11	11	11	11	11
12	12	12	12	12
1	1	1	1	1
2	2	2	2	2
3	3	3	3	3
4	4	4	4	4
5	5	5	5	5
6	6	6	6	6
7	7	7	7	7
8	8	8	8	8
9	9	9	9	9
10	10	10	10	10
11	11	11	11	11
12	12	12	12	12
1	1	1	1	1
2	2	2	2	2
3	3	3	3	3
4	4	4	4	4

13(SAT)	14(SUN)

4
5
6
7
8
9
10
11
12
1
2
3
4
5
6
7
8
9
10
11
12
1
2
3
4

8

M	T	W	T	F	S	S
1	2	3	4	5	6	7
8	9	10	11	12	13	14
15	16	17	18	19	20	21
22	23	24	25	26	27	28
29	30	31				

9

M	T	W	T	F	S	S
			1	2	3	4
5	6	7	8	9	10	11
12	13	14	15	16	17	18
19	20	21	22	23	24	25
26	27	28	29	30		

8 August 2022

15(MON)☆	16(TUE)	17(WED)	18(THU)	19(FRI)
4	4	4	4	4
5	5	5	5	5
6	6	6	6	6
7	7	7	7	7
8	8	8	8	8
9	9	9	9	9
10	10	10	10	10
11	11	11	11	11
12	12	12	12	12
1	1	1	1	1
2	2	2	2	2
3	3	3	3	3
4	4	4	4	4
5	5	5	5	5
6	6	6	6	6
7	7	7	7	7
8	8	8	8	8
9	9	9	9	9
10	10	10	10	10
11	11	11	11	11
12	12	12	12	12
1	1	1	1	1
2	2	2	2	2
3	3	3	3	3
4	4	4	4	4

8						
M	T	W	T	F	S	S
1	2	3	4	5	6	7
8	9	10	11	12	13	14
15	16	17	18	19	20	21
22	23	24	25	26	27	28
29	30	31				

9						
M	T	W	T	F	S	S
			1	2	3	4
5	6	7	8	9	10	11
12	13	14	15	16	17	18
19	20	21	22	23	24	25
26	27	28	29	30		

20 (SAT)	21 (SUN)

4
5
6
7
8
9
10
11
12
1
2
3
4
5
6
7
8
9
10
11
12
1
2
3
4

8 August 2022

22(MON) ☆	23(TUE) ★	24(WED)	25(THU)	26(FRI)
4	4	4	4	4
5	5	5	5	5
6	6	6	6	6
7	7	7	7	7
8	8	8	8	8
9	9	9	9	9
10	10	10	10	10
11	11	11	11	11
12	12	12	12	12
1	1	1	1	1
2	2	2	2	2
3	3	3	3	3
4	4	4	4	4
5	5	5	5	5
6	6	6	6	6
7	7	7	7	7
8	8	8	8	8
9	9	9	9	9
10	10	10	10	10
11	11	11	11	11
12	12	12	12	12
1	1	1	1	1
2	2	2	2	2
3	3	3	3	3
4	4	4	4	4

27 (SAT) ☆	28 (SUN)
4	4
5	5
6	6
7	7
8	8
9	9
10	10
11	11
12	12
1	1
2	2
3	3
4	4
5	5
6	6
7	7
8	8
9	9
10	10
11	11
12	12
1	1
2	2
3	3
4	4

8

M	T	W	T	F	S	S
1	2	3	4	5	6	7
8	9	10	11	12	13	14
15	16	17	18	19	20	21
22	23	24	25	26	27	28
29	30	31				

9

M	T	W	T	F	S	S
			1	2	3	4
5	6	7	8	9	10	11
12	13	14	15	16	17	18
19	20	21	22	23	24	25
26	27	28	29	30		

8/9 August 2022

29(MON)	30(TUE)	31(WED)	1(THU)	2(FRI)
4	4	4	4	4
5	5	5	5	5
6	6	6	6	6
7	7	7	7	7
8	8	8	8	8
9	9	9	9	9
10	10	10	10	10
11	11	11	11	11
12	12	12	12	12
1	1	1	1	1
2	2	2	2	2
3	3	3	3	3
4	4	4	4	4
5	5	5	5	5
6	6	6	6	6
7	7	7	7	7
8	8	8	8	8
9	9	9	9	9
10	10	10	10	10
11	11	11	11	11
12	12	12	12	12
1	1	1	1	1
2	2	2	2	2
3	3	3	3	3
4	4	4	4	4

8

M	T	W	T	F	S	S
1	2	3	4	5	6	7
8	9	10	11	12	13	14
15	16	17	18	19	20	21
22	23	24	25	26	27	28
29	30	31				

9

M	T	W	T	F	S	S
			1	2	3	4
5	6	7	8	9	10	11
12	13	14	15	16	17	18
19	20	21	22	23	24	25
26	27	28	29	30		

3 (SAT) ☆	4 (SUN)
4	4
5	5
6	6
7	7
8	8
9	9
10	10
11	11
12	12
1	1
2	2
3	3
4	4
5	5
6	6
7	7
8	8
9	9
10	10
11	11
12	12
1	1
2	2
3	3
4	4

9 September 2022 **fulfillment list** when?

	when?
☐	/
☐	/
☐	/
☐	/
☐	/
☐	/
☐	/
☐	/
☐	/
☐	/
☐	/
☐	/
☐	/
☐	/
☐	/
☐	/
☐	/
☐	/
☐	/
☐	/
☐	/
☐	/
☐	/
☐	/
☐	/
☐	/
☐	/

fulfillment list

fulfillment list	when?
☐	/
☐	/
☐	/
☐	/
☐	/
☐	/
☐	/
☐	/
☐	/
☐	/
☐	/
☐	/
☐	/
☐	/
☐	/
☐	/
☐	/
☐	/
☐	/
☐	/
☐	/
☐	/
☐	/
☐	/
☐	/
☐	/
☐	/

9 September 2022

5(MON)	6(TUE)	7(WED)	8(THU)	9(FRI)
4	4	4	4	4
5	5	5	5	5
6	6	6	6	6
7	7	7	7	7
8	8	8	8	8
9	9	9	9	9
10	10	10	10	10
11	11	11	11	11
12	12	12	12	12
1	1	1	1	1
2	2	2	2	2
3	3	3	3	3
4	4	4	4	4
5	5	5	5	5
6	6	6	6	6
7	7	7	7	7
8	8	8	8	8
9	9	9	9	9
10	10	10	10	10
11	11	11	11	11
12	12	12	12	12
1	1	1	1	1
2	2	2	2	2
3	3	3	3	3
4	4	4	4	4

10(SAT)	11(SUN)☆

4
5
6
7
8
9
10
11
12
1
2
3
4
5
6
7
8
9
10
11
12
1
2
3
4

9

M	T	W	T	F	S	S
			1	2	3	4
5	6	7	8	9	10	11
12	13	14	15	16	17	18
19	20	21	22	23	24	25
26	27	28	29	30		

10

M	T	W	T	F	S	S
					1	2
3	4	5	6	7	8	9
10	11	12	13	14	15	16
17	18	19	20	21	22	23
24	25	26	27	28	29	30
31						

9 September 2022

12(MON)	13(TUE)	14(WED)	15(THU)	16(FRI)☆
4	4	4	4	4
5	5	5	5	5
6	6	6	6	6
7	7	7	7	7
8	8	8	8	8
9	9	9	9	9
10	10	10	10	10
11	11	11	11	11
12	12	12	12	12
1	1	1	1	1
2	2	2	2	2
3	3	3	3	3
4	4	4	4	4
5	5	5	5	5
6	6	6	6	6
7	7	7	7	7
8	8	8	8	8
9	9	9	9	9
10	10	10	10	10
11	11	11	11	11
12	12	12	12	12
1	1	1	1	1
2	2	2	2	2
3	3	3	3	3
4	4	4	4	4

17 (SAT)	18 (SUN)

4
5
6
7
8
9
10
11
12
1
2
3
4
5
6
7
8
9
10
11
12
1
2
3
4

9

M	T	W	T	F	S	S
			1	2	3	4
5	6	7	8	9	10	11
12	13	14	15	16	17	18
19	20	21	22	23	24	25
26	27	28	29	30		

10

M	T	W	T	F	S	S
					1	2
3	4	5	6	7	8	9
10	11	12	13	14	15	16
17	18	19	20	21	22	23
24	25	26	27	28	29	30
31						

9 September 2022

19 (MON)	20 (TUE)	21 (WED)	22 (THU)	23 (FRI) ☆
4	4	4	4	4
5	5	5	5	5
6	6	6	6	6
7	7	7	7	7
8	8	8	8	8
9	9	9	9	9
10	10	10	10	10
11	11	11	11	11
12	12	12	12	12
1	1	1	1	1
2	2	2	2	2
3	3	3	3	3
4	4	4	4	4
5	5	5	5	5
6	6	6	6	6
7	7	7	7	7
8	8	8	8	8
9	9	9	9	9
10	10	10	10	10
11	11	11	11	11
12	12	12	12	12
1	1	1	1	1
2	2	2	2	2
3	3	3	3	3
4	4	4	4	4

9						
M	T	W	T	F	S	S
			1	2	3	4
5	6	7	8	9	10	11
12	13	14	15	16	17	18
19	20	21	22	23	24	25
26	27	28	29	30		

10						
M	T	W	T	F	S	S
					1	2
3	4	5	6	7	8	9
10	11	12	13	14	15	16
17	18	19	20	21	22	23
24	25	26	27	28	29	30
31						

24 (SAT)	25 (SUN)
4	4
5	5
6	6
7	7
8	8
9	9
10	10
11	11
12	12
1	1
2	2
3	3
4	4
5	5
6	6
7	7
8	8
9	9
10	10
11	11
12	12
1	1
2	2
3	3
4	4

9/10 September 2022

26(MON)	27(TUE)	28(WED)☆	29(THU)	30(FRI)
4	4	4	4	4
5	5	5	5	5
6	6	6	6	6
7	7	7	7	7
8	8	8	8	8
9	9	9	9	9
10	10	10	10	10
11	11	11	11	11
12	12	12	12	12
1	1	1	1	1
2	2	2	2	2
3	3	3	3	3
4	4	4	4	4
5	5	5	5	5
6	6	6	6	6
7	7	7	7	7
8	8	8	8	8
9	9	9	9	9
10	10	10	10	10
11	11	11	11	11
12	12	12	12	12
1	1	1	1	1
2	2	2	2	2
3	3	3	3	3
4	4	4	4	4

1(SAT)	2(SUN)

4
5
6
7
8
9
10
11
12
1
2
3
4
5
6
7
8
9
10
11
12
1
2
3
4

9

M	T	W	T	F	S	S
			1	2	3	4
5	6	7	8	9	10	11
12	13	14	15	16	17	18
19	20	21	22	23	24	25
26	27	28	29	30		

10

M	T	W	T	F	S	S
					1	2
3	4	5	6	7	8	9
10	11	12	13	14	15	16
17	18	19	20	21	22	23
24	25	26	27	28	29	30
31						

10 October 2022 **fulfillment list** when?

☐	/
☐	/
☐	/
☐	/
☐	/
☐	/
☐	/
☐	/
☐	/
☐	/
☐	/
☐	/
☐	/
☐	/
☐	/
☐	/
☐	/
☐	/
☐	/
☐	/
☐	/
☐	/
☐	/
☐	/
☐	/
☐	/
☐	/

fulfillment list

when?

☐	/
☐	/
☐	/
☐	/
☐	/
☐	/
☐	/
☐	/
☐	/
☐	/
☐	/
☐	/
☐	/
☐	/
☐	/
☐	/
☐	/
☐	/
☐	/
☐	/
☐	/
☐	/
☐	/
☐	/
☐	/
☐	/
☐	/

10 October 2022

3(MON)	4(TUE)	5(WED)☆	6(THU)	7(FRI)
4	4	4	4	4
5	5	5	5	5
6	6	6	6	6
7	7	7	7	7
8	8	8	8	8
9	9	9	9	9
10	10	10	10	10
11	11	11	11	11
12	12	12	12	12
1	1	1	1	1
2	2	2	2	2
3	3	3	3	3
4	4	4	4	4
5	5	5	5	5
6	6	6	6	6
7	7	7	7	7
8	8	8	8	8
9	9	9	9	9
10	10	10	10	10
11	11	11	11	11
12	12	12	12	12
1	1	1	1	1
2	2	2	2	2
3	3	3	3	3
4	4	4	4	4

8(SAT)☆	9(SUN)

4	4
5	5
6	6
7	7
8	8
9	9
10	10
11	11
12	12
1	1
2	2
3	3
4	4
5	5
6	6
7	7
8	8
9	9
10	10
11	11
12	12
1	1
2	2
3	3
4	4

10

M	T	W	T	F	S	S
					1	2
3	4	5	6	7	8	9
10	11	12	13	14	15	16
17	18	19	20	21	22	23
24	25	26	27	28	29	30
31						

11

M	T	W	T	F	S	S
	1	2	3	4	5	6
7	8	9	10	11	12	13
14	15	16	17	18	19	20
21	22	23	24	25	26	27
28	29	30				

10 October 2022

10(MON)	11(TUE)☆	12(WED)	13(THU)	14(FRI)
4	4	4	4	4
5	5	5	5	5
6	6	6	6	6
7	7	7	7	7
8	8	8	8	8
9	9	9	9	9
10	10	10	10	10
11	11	11	11	11
12	12	12	12	12
1	1	1	1	1
2	2	2	2	2
3	3	3	3	3
4	4	4	4	4
5	5	5	5	5
6	6	6	6	6
7	7	7	7	7
8	8	8	8	8
9	9	9	9	9
10	10	10	10	10
11	11	11	11	11
12	12	12	12	12
1	1	1	1	1
2	2	2	2	2
3	3	3	3	3
4	4	4	4	4

15(SAT)	16(SUN)

4
5
6
7
8
9
10
11
12
1
2
3
4
5
6
7
8
9
10
11
12
1
2
3
4

10

M	T	W	T	F	S	S
					1	2
3	4	5	6	7	8	9
10	11	12	13	14	15	16
17	18	19	20	21	22	23
24	25	26	27	28	29	30
31						

11

M	T	W	T	F	S	S
	1	2	3	4	5	6
7	8	9	10	11	12	13
14	15	16	17	18	19	20
21	22	23	24	25	26	27
28	29	30				

10 October 2022

17(MON)	18(TUE)	19(WED)	20(THU)	21(FRI)
4	4	4	4	4
5	5	5	5	5
6	6	6	6	6
7	7	7	7	7
8	8	8	8	8
9	9	9	9	9
10	10	10	10	10
11	11	11	11	11
12	12	12	12	12
1	1	1	1	1
2	2	2	2	2
3	3	3	3	3
4	4	4	4	4
5	5	5	5	5
6	6	6	6	6
7	7	7	7	7
8	8	8	8	8
9	9	9	9	9
10	10	10	10	10
11	11	11	11	11
12	12	12	12	12
1	1	1	1	1
2	2	2	2	2
3	3	3	3	3
4	4	4	4	4

22(SAT)★	23(SUN)☆

	4	
	5	
	6	
	7	
	8	
	9	
10	10	
11	11	
12	12	
	1	
2	2	
3	3	
4	4	
5	5	
6	6	
7	7	
8	8	
9	9	
10	10	
11	11	
12	12	
1	1	
2	2	
3	3	
4	4	

10

M	T	W	T	F	S	S
					1	2
3	4	5	6	7	8	9
10	11	12	13	14	15	16
17	18	19	20	21	22	23
24	25	26	27	28	29	30
31						

11

M	T	W	T	F	S	S
	1	2	3	4	5	6
7	8	9	10	11	12	13
14	15	16	17	18	19	20
21	22	23	24	25	26	27
28	29	30				

10 October 2022

24 (MON)	25 (TUE)	26 (WED)	27 (THU)	28 (FRI)
4	4	4	4	4
5	5	5	5	5
6	6	6	6	6
7	7	7	7	7
8	8	8	8	8
9	9	9	9	9
10	10	10	10	10
11	11	11	11	11
12	12	12	12	12
1	1	1	1	1
2	2	2	2	2
3	3	3	3	3
4	4	4	4	4
5	5	5	5	5
6	6	6	6	6
7	7	7	7	7
8	8	8	8	8
9	9	9	9	9
10	10	10	10	10
11	11	11	11	11
12	12	12	12	12
1	1	1	1	1
2	2	2	2	2
3	3	3	3	3
4	4	4	4	4

29 (SAT)	30 (SUN)
4	4
5	5
6	6
7	7
8	8
9	9
0	10
1	11
2	12
1	1
2	2
3	3
4	4
5	5
6	6
7	7
8	8
9	9
0	10
1	11
2	12
1	1
2	2
3	3
4	4

10

M	T	W	T	F	S	S
					1	2
3	4	5	6	7	8	9
10	11	12	13	14	15	16
17	18	19	20	21	22	23
24	25	26	27	28	29	30
31						

11

M	T	W	T	F	S	S
	1	2	3	4	5	6
7	8	9	10	11	12	13
14	15	16	17	18	19	20
21	22	23	24	25	26	27
28	29	30				

10/11 October 2022

31 (MON)	1 (TUE) ☆	2 (WED)	3 (THU)	4 (FRI) ☆
4	4	4	4	4
5	5	5	5	5
6	6	6	6	6
7	7	7	7	7
8	8	8	8	8
9	9	9	9	9
10	10	10	10	10
11	11	11	11	11
12	12	12	12	12
1	1	1	1	1
2	2	2	2	2
3	3	3	3	3
4	4	4	4	4
5	5	5	5	5
6	6	6	6	6
7	7	7	7	7
8	8	8	8	8
9	9	9	9	9
10	10	10	10	10
11	11	11	11	11
12	12	12	12	12
1	1	1	1	1
2	2	2	2	2
3	3	3	3	3
4	4	4	4	4

5(SAT)	6(SUN)

4
5
6
7
8
9
10
11
12
1
2
3
4
5
6
7
8
9
10
11
12
1
2
3
4

10

M	T	W	T	F	S	S
					1	2
3	4	5	6	7	8	9
10	11	12	13	14	15	16
17	18	19	20	21	22	23
24	25	26	27	28	29	30
31						

11

M	T	W	T	F	S	S
	1	2	3	4	5	6
7	8	9	10	11	12	13
14	15	16	17	18	19	20
21	22	23	24	25	26	27
28	29	30				

11 November 2022 **fulfillment list** when?

☐	/
☐	/
☐	/
☐	/
☐	/
☐	/
☐	/
☐	/
☐	/
☐	/
☐	/
☐	/
☐	/
☐	/
☐	/
☐	/
☐	/
☐	/
☐	/
☐	/
☐	/
☐	/
☐	/
☐	/
☐	/
☐	/
☐	/

fulfillment list

when?

☐	/
☐	/
☐	/
☐	/
☐	/
☐	/
☐	/
☐	/
☐	/
☐	/
☐	/
☐	/
☐	/
☐	/
☐	/
☐	/
☐	/
☐	/
☐	/
☐	/
☐	/
☐	/
☐	/
☐	/
☐	/
☐	/
☐	/

11 November 2022

7(MON)★	8(TUE)	9(WED)	10(THU)	11(FRI)
4	4	4	4	4
5	5	5	5	5
6	6	6	6	6
7	7	7	7	7
8	8	8	8	8
9	9	9	9	9
10	10	10	10	10
11	11	11	11	11
12	12	12	12	12
1	1	1	1	1
2	2	2	2	2
3	3	3	3	3
4	4	4	4	4
5	5	5	5	5
6	6	6	6	6
7	7	7	7	7
8	8	8	8	8
9	9	9	9	9
10	10	10	10	10
11	11	11	11	11
12	12	12	12	12
1	1	1	1	1
2	2	2	2	2
3	3	3	3	3
4	4	4	4	4

12(SAT)	13(SUN)

4
5
6
7
8
9
10
11
12
1
2
3
4
5
6
7
8
9
10
11
12
1
2
3
4

11						
M	T	W	T	F	S	S
	1	2	3	4	5	6
7	8	9	10	11	12	13
14	15	16	17	18	19	20
21	22	23	24	25	26	27
28	29	30				

12						
M	T	W	T	F	S	S
			1	2	3	4
5	6	7	8	9	10	11
12	13	14	15	16	17	18
19	20	21	22	23	24	25
26	27	28	29	30	31	

11 November 2022

14(MON)	15(TUE)	16(WED)☆	17(THU)☆	18(FRI)
4	4	4	4	4
5	5	5	5	5
6	6	6	6	6
7	7	7	7	7
8	8	8	8	8
9	9	9	9	9
10	10	10	10	10
11	11	11	11	11
12	12	12	12	12
1	1	1	1	1
2	2	2	2	2
3	3	3	3	3
4	4	4	4	4
5	5	5	5	5
6	6	6	6	6
7	7	7	7	7
8	8	8	8	8
9	9	9	9	9
10	10	10	10	10
11	11	11	11	11
12	12	12	12	12
1	1	1	1	1
2	2	2	2	2
3	3	3	3	3
4	4	4	4	4

11						
M	T	W	T	F	S	S
	1	2	3	4	5	6
7	8	9	10	11	12	13
14	15	16	17	18	19	20
21	22	23	24	25	26	27
28	29	30				

12						
M	T	W	T	F	S	S
			1	2	3	4
5	6	7	8	9	10	11
12	13	14	15	16	17	18
19	20	21	22	23	24	25
26	27	28	29	30	31	

19(SAT)	20(SUN)

4
5
6
7
8
9
10
11
12
1
2
3
4
5
6
7
8
9
10
11
12
1
2
3
4

11 November 2022

21 (MON)	22 (TUE)	23 (WED)	24 (THU)	25 (FRI)
4	4	4	4	4
5	5	5	5	5
6	6	6	6	6
7	7	7	7	7
8	8	8	8	8
9	9	9	9	9
10	10	10	10	10
11	11	11	11	11
12	12	12	12	12
1	1	1	1	1
2	2	2	2	2
3	3	3	3	3
4	4	4	4	4
5	5	5	5	5
6	6	6	6	6
7	7	7	7	7
8	8	8	8	8
9	9	9	9	9
10	10	10	10	10
11	11	11	11	11
12	12	12	12	12
1	1	1	1	1
2	2	2	2	2
3	3	3	3	3
4	4	4	4	4

11						
M	T	W	T	F	S	S
	1	2	3	4	5	6
7	8	9	10	11	12	13
14	15	16	17	18	19	20
21	22	23	24	25	26	27
28	29	30				

12						
M	T	W	T	F	S	S
			1	2	3	4
5	6	7	8	9	10	11
12	13	14	15	16	17	18
19	20	21	22	23	24	25
26	27	28	29	30	31	

26 (SAT)	27 (SUN)
4	4
5	5
6	6
7	7
8	8
9	9
0	10
1	11
2	12
1	1
2	2
3	3
4	4
5	5
6	6
7	7
8	8
9	9
0	10
1	11
2	12
1	1
2	2
3	3
4	4

11/12 November 2022

28(MON)	29(TUE)☆	30(WED)	1(THU)	2(FRI)
4	4	4	4	4
5	5	5	5	5
6	6	6	6	6
7	7	7	7	7
8	8	8	8	8
9	9	9	9	9
10	10	10	10	10
11	11	11	11	11
12	12	12	12	12
1	1	1	1	1
2	2	2	2	2
3	3	3	3	3
4	4	4	4	4
5	5	5	5	5
6	6	6	6	6
7	7	7	7	7
8	8	8	8	8
9	9	9	9	9
10	10	10	10	10
11	11	11	11	11
12	12	12	12	12
1	1	1	1	1
2	2	2	2	2
3	3	3	3	3
4	4	4	4	4

3(SAT)	4(SUN)

4	
5	
6	
7	
8	
9	
10	
11	
12	
1	
2	
3	
4	
5	
6	
7	
8	
9	
10	
11	
12	
1	
2	
3	
4	

11

M	T	W	T	F	S	S
	1	2	3	4	5	6
7	8	9	10	11	12	13
14	15	16	17	18	19	20
21	22	23	24	25	26	27
28	29	30				

12

M	T	W	T	F	S	S
			1	2	3	4
5	6	7	8	9	10	11
12	13	14	15	16	17	18
19	20	21	22	23	24	25
26	27	28	29	30	31	

12 December 2022 **fulfillment list** when?

	when?
☐	/
☐	/
☐	/
☐	/
☐	/
☐	/
☐	/
☐	/
☐	/
☐	/
☐	/
☐	/
☐	/
☐	/
☐	/
☐	/
☐	/
☐	/
☐	/
☐	/
☐	/
☐	/
☐	/
☐	/
☐	/
☐	/
☐	/

fulfillment list

when?

☐	/
☐	/
☐	/
☐	/
☐	/
☐	/
☐	/
☐	/
☐	/
☐	/
☐	/
☐	/
☐	/
☐	/
☐	/
☐	/
☐	/
☐	/
☐	/
☐	/
☐	/
☐	/
☐	/
☐	/
☐	/
☐	/
☐	/

12 December 2022

5 (MON)	6 (TUE)	7 (WED)	8 (THU)	9 (FRI)
4	4	4	4	4
5	5	5	5	5
6	6	6	6	6
7	7	7	7	7
8	8	8	8	8
9	9	9	9	9
10	10	10	10	10
11	11	11	11	11
12	12	12	12	12
1	1	1	1	1
2	2	2	2	2
3	3	3	3	3
4	4	4	4	4
5	5	5	5	5
6	6	6	6	6
7	7	7	7	7
8	8	8	8	8
9	9	9	9	9
10	10	10	10	10
11	11	11	11	11
12	12	12	12	12
1	1	1	1	1
2	2	2	2	2
3	3	3	3	3
4	4	4	4	4

10(SAT)	11(SUN)

4
5
6
7
8
9
10
11
12
1
2
3
4
5
6
7
8
9
10
11
12
1
2
3
4

12

M	T	W	T	F	S	S
			1	2	3	4
5	6	7	8	9	10	11
12	13	14	15	16	17	18
19	20	21	22	23	24	25
26	27	28	29	30	31	

1

M	T	W	T	F	S	S
						1
2	3	4	5	6	7	8
9	10	11	12	13	14	15
16	17	18	19	20	21	22
23	24	25	26	27	28	29
30	31					

12 December 2022

12(MON)☆	13(TUE)☆	14(WED)	15(THU)	16(FRI)
4	4	4	4	4
5	5	5	5	5
6	6	6	6	6
7	7	7	7	7
8	8	8	8	8
9	9	9	9	9
10	10	10	10	10
11	11	11	11	11
12	12	12	12	12
1	1	1	1	1
2	2	2	2	2
3	3	3	3	3
4	4	4	4	4
5	5	5	5	5
6	6	6	6	6
7	7	7	7	7
8	8	8	8	8
9	9	9	9	9
10	10	10	10	10
11	11	11	11	11
12	12	12	12	12
1	1	1	1	1
2	2	2	2	2
3	3	3	3	3
4	4	4	4	4

17(SAT)	18(SUN)

4
5
6
7
8
9
10
11
12
1
2
3
4
5
6
7
8
9
10
11
12
1
2
3
4

12

M	T	W	T	F	S	S
			1	2	3	4
5	6	7	8	9	10	11
12	13	14	15	16	17	18
19	20	21	22	23	24	25
26	27	28	29	30	31	

1

M	T	W	T	F	S	S
						1
2	3	4	5	6	7	8
9	10	11	12	13	14	15
16	17	18	19	20	21	22
23	24	25	26	27	28	29
30	31					

12 December 2022

19(MON)	20(TUE)	21(WED)	22(THU)	23(FRI)
4	4	4	4	4
5	5	5	5	5
6	6	6	6	6
7	7	7	7	7
8	8	8	8	8
9	9	9	9	9
10	10	10	10	10
11	11	11	11	11
12	12	12	12	12
1	1	1	1	1
2	2	2	2	2
3	3	3	3	3
4	4	4	4	4
5	5	5	5	5
6	6	6	6	6
7	7	7	7	7
8	8	8	8	8
9	9	9	9	9
10	10	10	10	10
11	11	11	11	11
12	12	12	12	12
1	1	1	1	1
2	2	2	2	2
3	3	3	3	3
4	4	4	4	4

24 (SAT) ☆	25 (SUN) ☆

4
5
6
7
8
9
10
11
12
1
2
3
4
5
6
7
8
9
10
11
12
1
2
3
4

4
5
6
7
8
9
10
11
12
1
2
3
4
5
6
7
8
9
10
11
12
1
2
3
4

12

M	T	W	T	F	S	S
			1	2	3	4
5	6	7	8	9	10	11
12	13	14	15	16	17	18
19	20	21	22	23	24	25
26	27	28	29	30	31	

1

M	T	W	T	F	S	S
						1
2	3	4	5	6	7	8
9	10	11	12	13	14	15
16	17	18	19	20	21	22
23	24	25	26	27	28	29
30	31					

12/1 December 2022/2023

26 (MON)	27 (TUE)	28 (WED)	29 (THU)	30 (FRI)
4	4	4	4	4
5	5	5	5	5
6	6	6	6	6
7	7	7	7	7
8	8	8	8	8
9	9	9	9	9
10	10	10	10	10
11	11	11	11	11
12	12	12	12	12
1	1	1	1	1
2	2	2	2	2
3	3	3	3	3
4	4	4	4	4
5	5	5	5	5
6	6	6	6	6
7	7	7	7	7
8	8	8	8	8
9	9	9	9	9
10	10	10	10	10
11	11	11	11	11
12	12	12	12	12
1	1	1	1	1
2	2	2	2	2
3	3	3	3	3
4	4	4	4	4

31 (SAT)	1 (SUN)

4
5
6
7
8
9
10
11
12
1
2
3
4
5
6
7
8
9
10
11
12
1
2
3
4

12

M	T	W	T	F	S	S
			1	2	3	4
5	6	7	8	9	10	11
12	13	14	15	16	17	18
19	20	21	22	23	24	25
26	27	28	29	30	31	

1

M	T	W	T	F	S	S
						1
2	3	4	5	6	7	8
9	10	11	12	13	14	15
16	17	18	19	20	21	22
23	24	25	26	27	28	29
30	31					

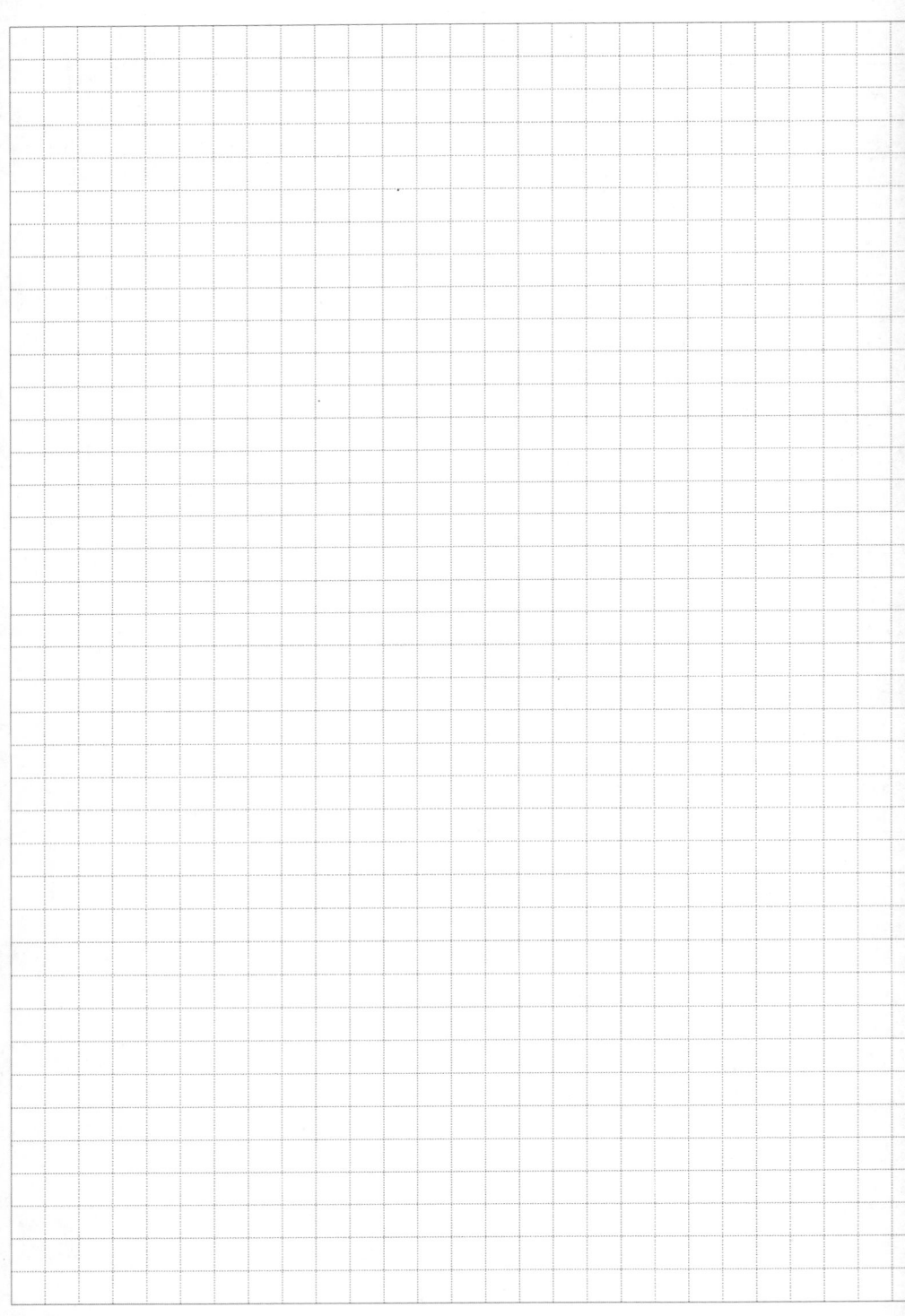

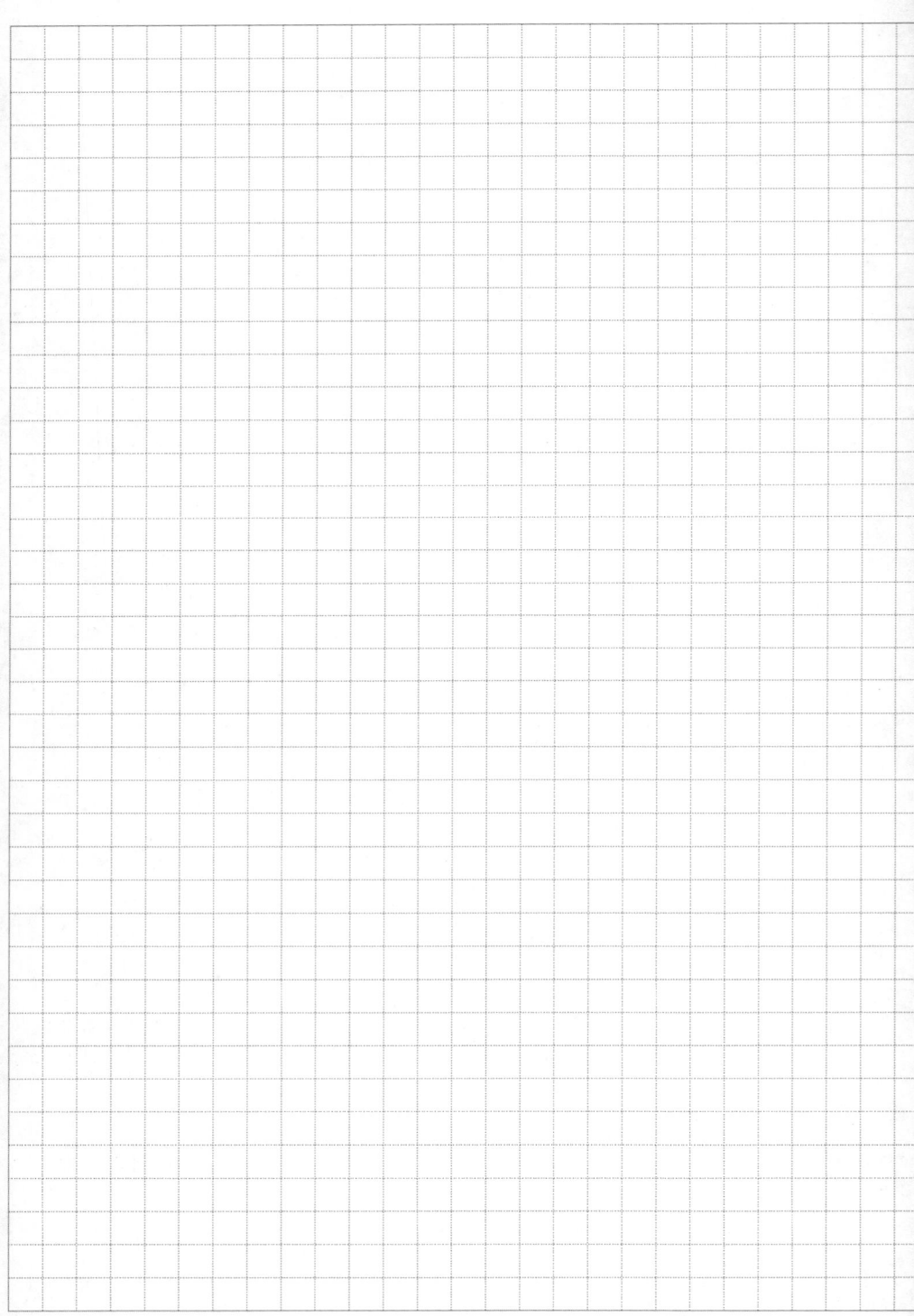

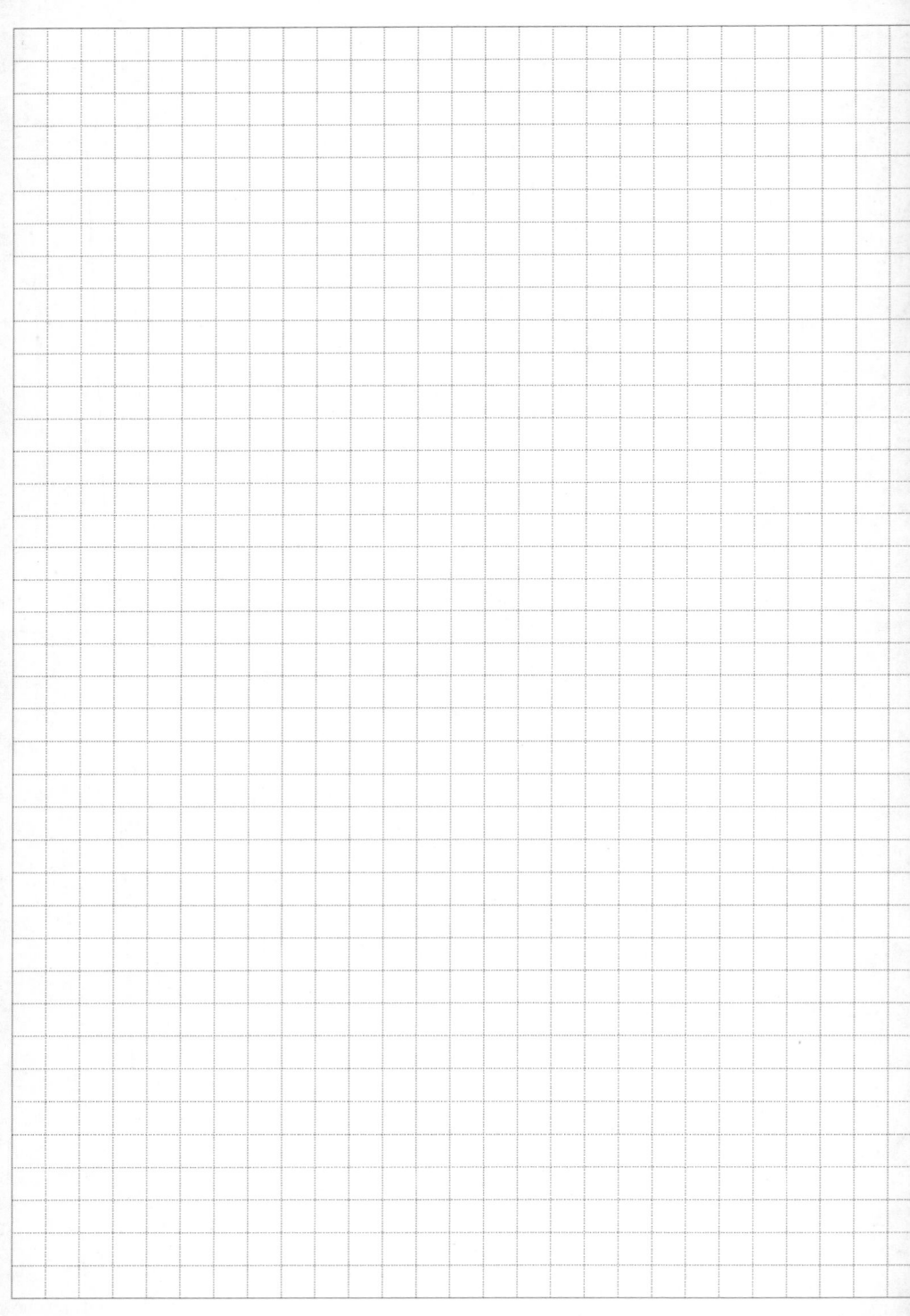

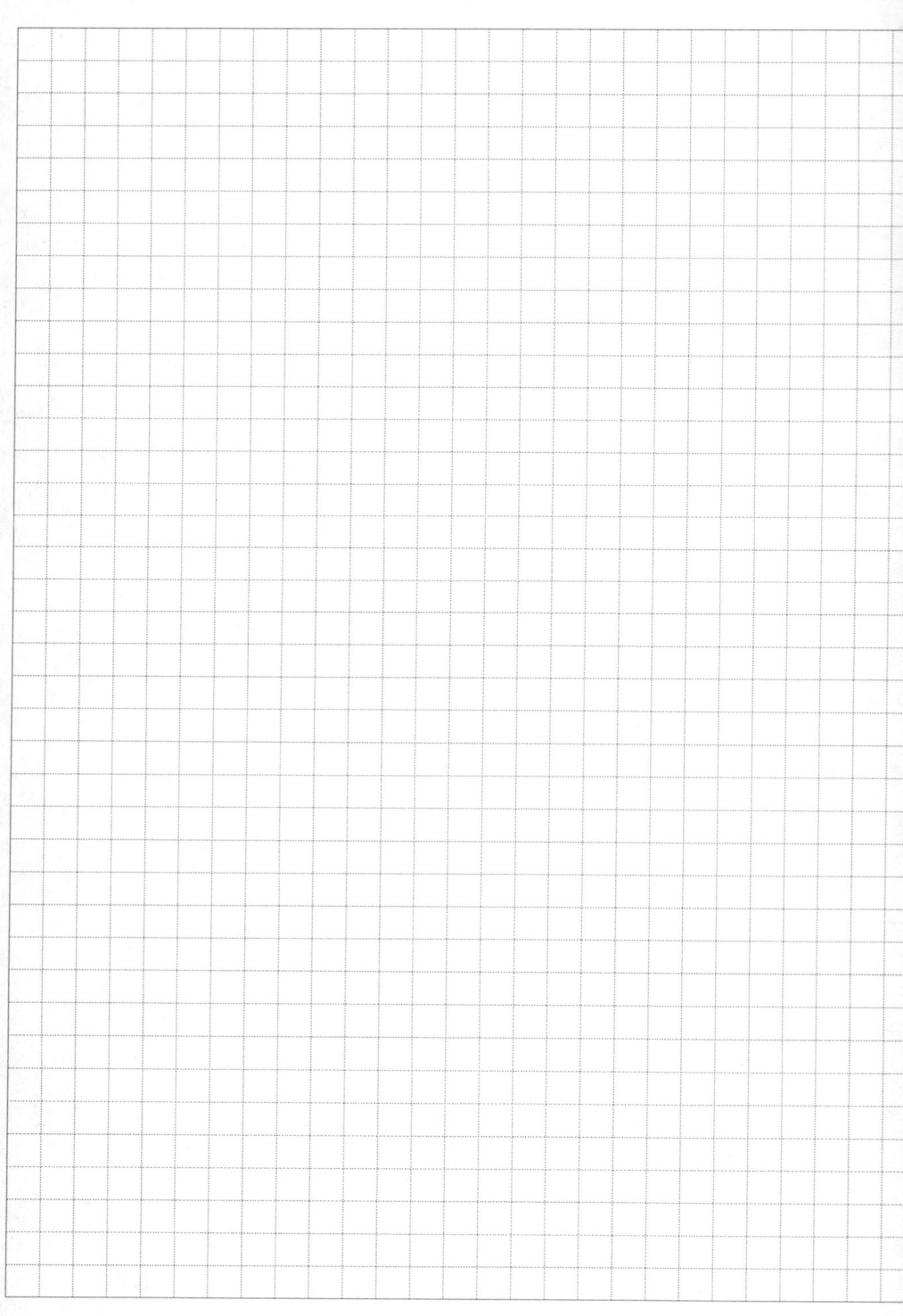

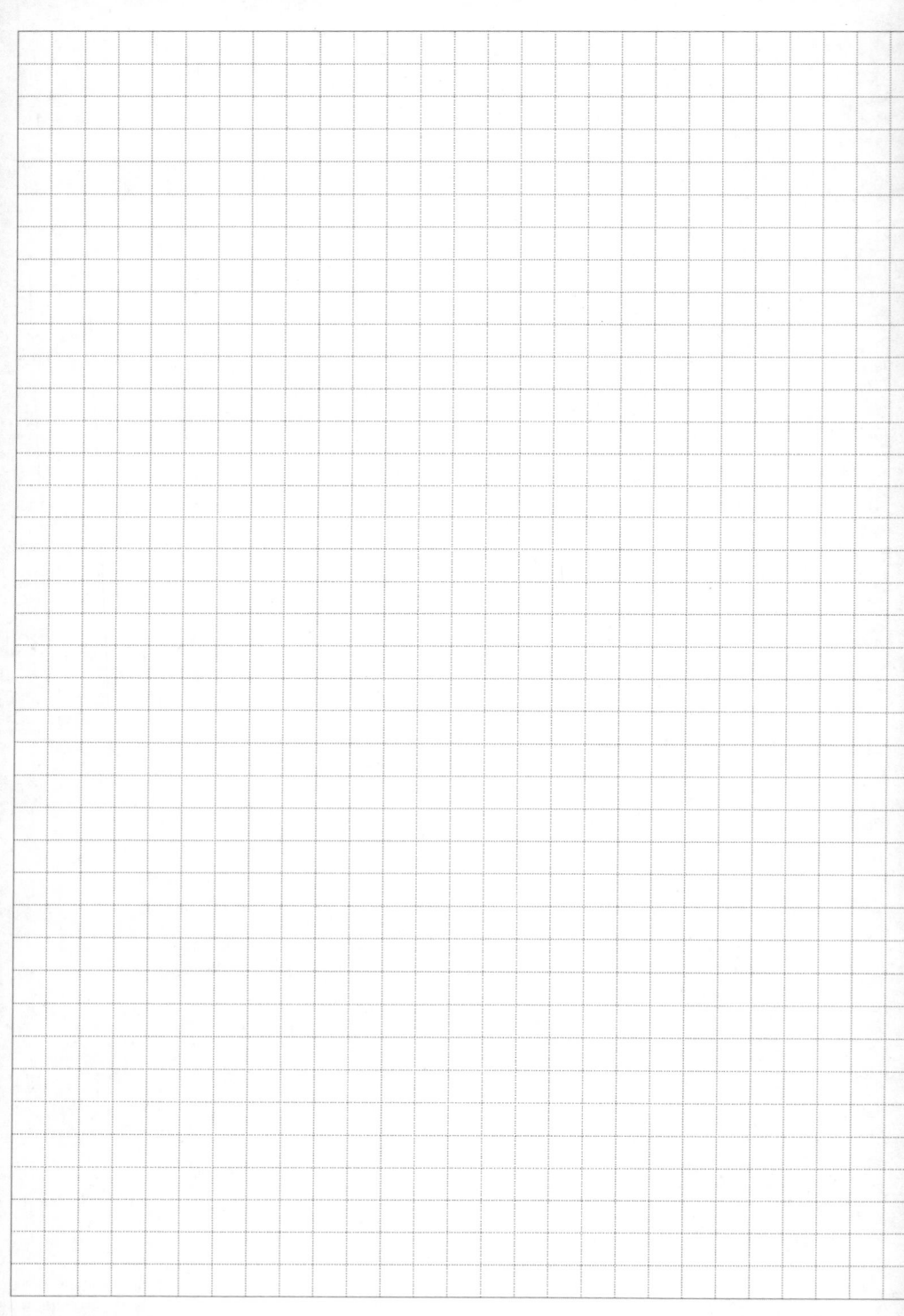

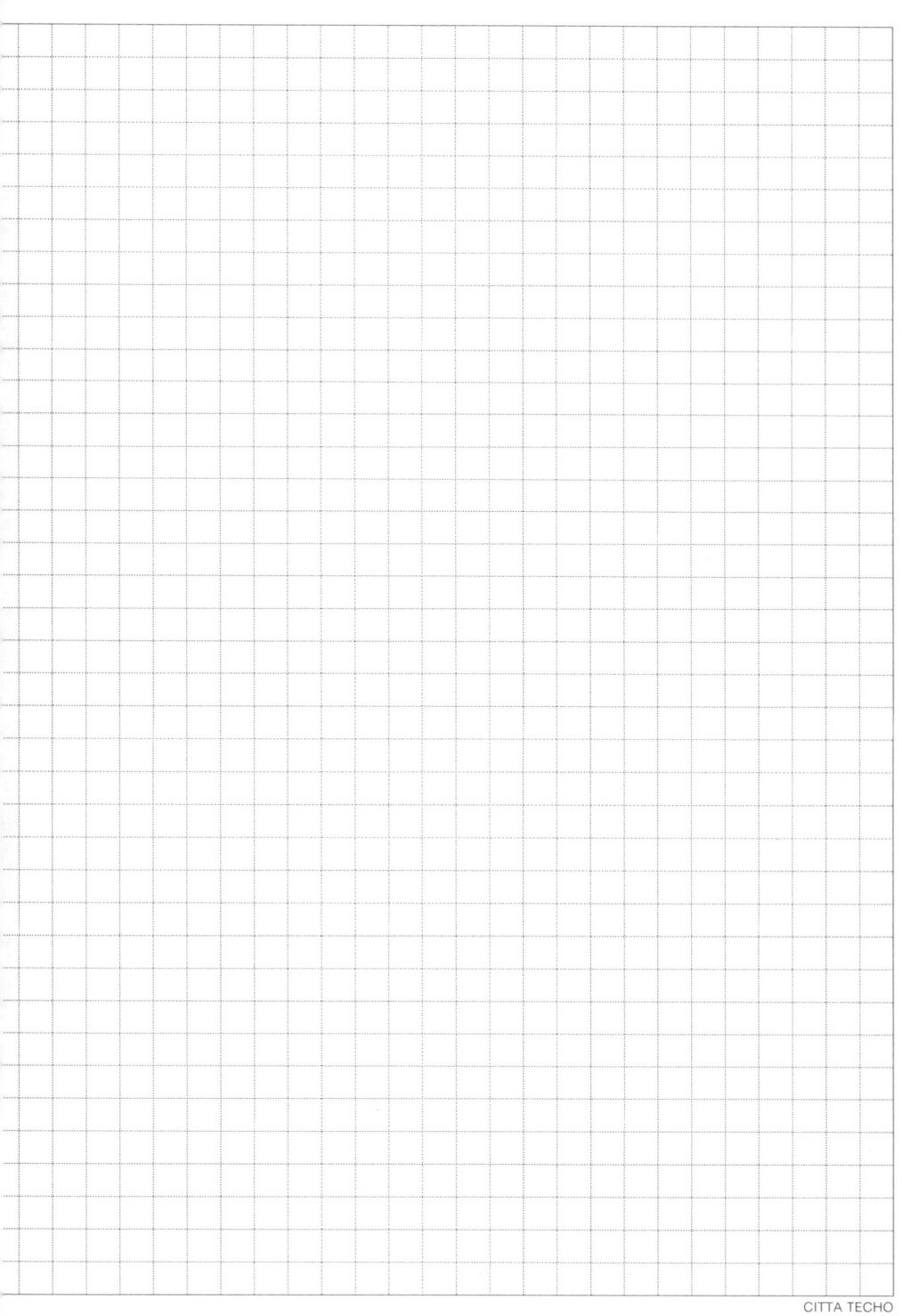

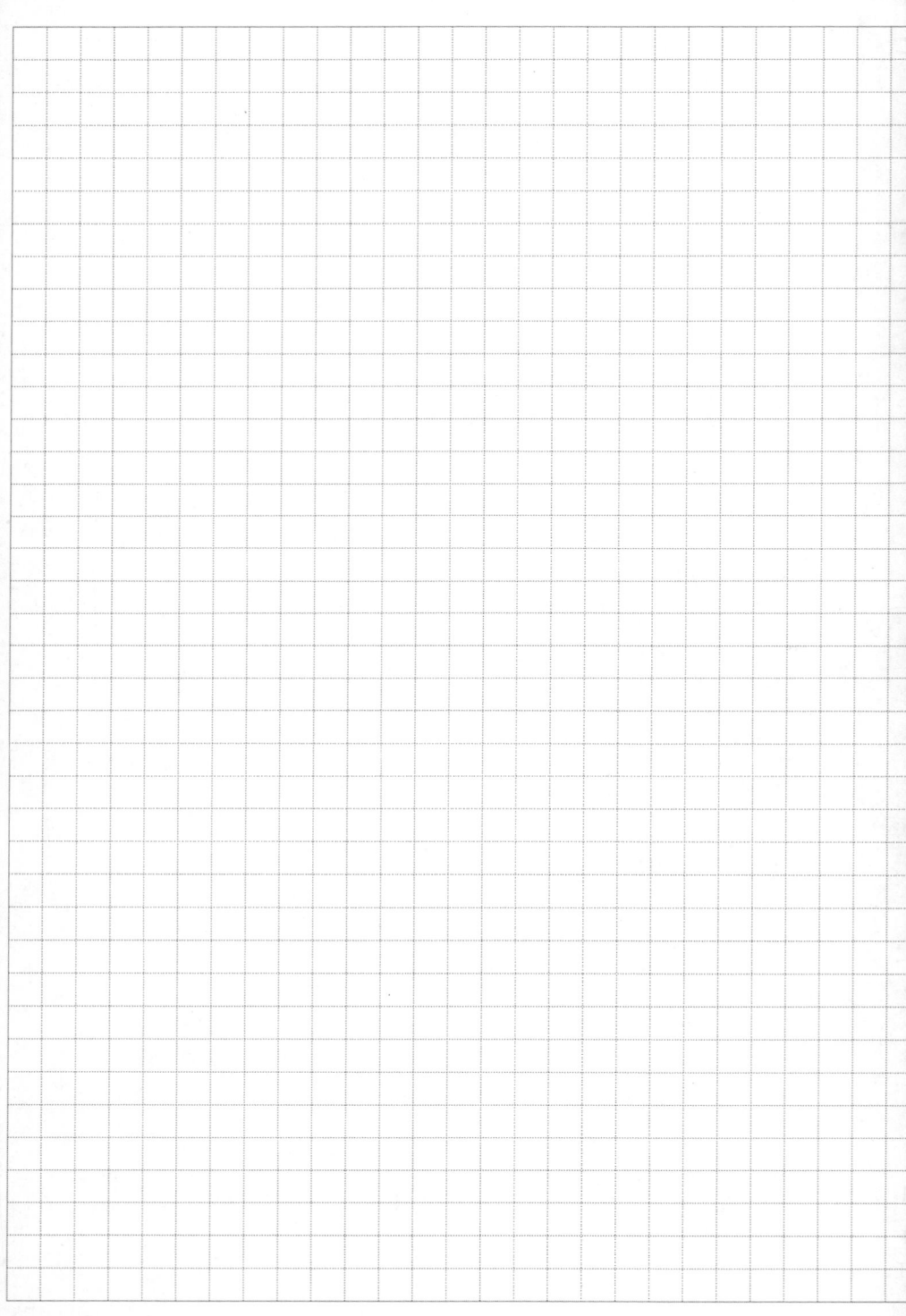

Personal Notes

Name	
Address	
Phone	E-mail
FAX	E-mail
Mobile	E-mail
Notes	

If you pick up this schedule notebook,
please contact the above-mentioned.
Thank you.

【Author's autobiography】Chigusa Aoki

Designer of CITTA TECHO (Techo in Japanese is "schedule notebook"),
Business owner / Managing Director at Yoga Studio CITTA,
Representative Director of CITTA INC.

I first got into schedule notebook keeping when I was 16 years old.
I became a "notebook geek" who would often visit stationary stores to meticulously examine and select notebooks. As of now, it has been 26 years since I started keeping track of my schedule in notebooks.

After graduating from junior college, I worked as a fitness instructor. From 2004, I learned yoga and started my career as a yoga teacher. One day, I looked at a blank page in my notebook and realized that my mind was conflicted. Although I was a yoga teacher, I did not apply the yoga philosophy "stability of mind " into my daily life. Then I came up with the idea of a schedule notebook based on yoga philosophy. When I applied this idea, my wishes and my dreams had come true within a short time.

I hold seminars in Japan and overseas. I call these seminars, "How to use a schedule notebook in CITTA-style to accomplish what you want to do." In 2013, I published "CITTA TECHO."

By 2020, over 30,000 copies have been sold.

With the mission of helping others who have been in a similar position as I when struggling to find that perfect schedule notebook, I set out to expand the CITTA-style notebook schedule writing method to help many people.

Books by Chigusa Aoki.
"CITTA-style schedule notebook writing technique for booking your future"
"CITTA-style schedule notebook time for your brighter life"
"CITTA TECHO official guidebook"

Book your future

CITTA TECHO 2022 〈October edition〉

Publication date:August 1, 2021

Author ／ Chigusa Aoki

Publisher ／ CITTA INC.

1-2-10 Moriyama, Moriyama-shi, Shiga 524-0022, JAPAN

Phone ／ +81-77-514-0145

CITTA TECHO Instagram @citta_techo

CITTA TECHO HP https://citta-techo.com

Yoga Studio HP https://yoga-citta.com/

Online Store https://shop.citta-techo.com

info@citta.co.jp

Printed and bound by Daigo Corp.